읽으면서
익히는
개념
정리
노트
3
수학으로 통하는 과학
11~15권
(주)자음과모음

읽으면서 익히는 개념 정리 노트 3

발행일 | 2020년 12월 15일

펴낸이 | 정은영
펴낸곳 | (주)자음과모음

출판등록 | 2001년 11월 28일 제2001-000259호
주 소 | 04047 서울시 마포구 양화로6길 49
전 화 | 편집부 (02)324-2347, 경영지원부 (02)325-6047
팩 스 | 편집부 (02)324-2348, 경영지원부 (02)2648-1311
이메일 | jamoteen@jamobook.com

ISBN 978-89-544-4560-3(44400)
978-89-544-2826-2(set)

잘못된 책은 교환해 드립니다.
이 책은 비매품입니다.

차례

읽으면서 익히는
개념 정리 노트

★ 이 노트는 <수학으로 통하는 과학> 시리즈의 독서 후 활동으로 활용할 수 있습니다.

★ 이 노트는 채점을 위한 시험이 아닙니다.
얼마나 책을 잘 읽었는지, 잘 이해하고 있는지를 스스로 확인해 봅니다.

개념 정리 노트 활용하기!

❶ 책을 읽고 난 뒤에 노트를 보면서 개념을 한 번 더 정리합니다.

❷ 책에서 읽은 이야기를 떠올리면서 노트에 있는 물음에 답해 봅니다.

❸ 책에서 배운 내용을 토대로 더 깊게 생각하는 문제들을 풀어 보고,
자신의 생각을 논리적으로 적어 보도록 합니다.

❹ 공부한 내용을 잘 익혔는지 정답과 풀이에서 확인하도록 합니다.

❺ 노트에는 초등학교뿐만 아니라 중학교에서 배우는 내용도 포함되어 있습니다.
중학교에 들어가기 전에 먼저 공부하는 학습서로도 활용할 수 있습니다.

요리에 숨은 화학 반응을 찾아라!

김승태 글 • 유영근 그림

분야 어린이 / 초등 학습 / 수학 / 과학

키워드 #STEAM #온도와 열 #물질의 상태 변화 #함수 #퇴적층

내용 소개

세계 과학요리 대회에 나가기 위해 맛달이는 요달 스승을 찾아간다. 요달 스승과 맛달이는 여러 과학요리 고수를 만나며 수학과 과학을 배운다. 두 사람은 우유를 끓이며 얇은 막이 생기는 현상을 발견하거나 채썰기를 하면서 분수를 배우고 삼겹살과 생선을 구우면서 회전체와 좌표평면에 대해 익힌다. 또 새우와 채소를 튀기며 도형의 겉넓이를, 샌드위치를 만들면서 퇴적층의 형성 과정을 알게 된다. 그러면서 맛달이의 요리 실력은 쑥쑥 자라 어느덧 요달 스승의 실력을 넘어설 정도가 되는데……. 과연 맛달이는 세계 과학요리 대회에서 우승을 차지할 수 있을까?

교과 연계

	1학년	2학년	3학년	4학년	5학년	6학년	중학교
수학						★	★
과학				★	★		★

단원 안내

[초등수학 6-2] 6. 원기둥, 원뿔, 구

[초등과학 4-1] 4. 지층과 화석

[초등과학 4-2] 2. 물의 상태 변화

[초등과학 5-1] 2. 온도와 열

개념 쏙쏙! 읽으면서 익히자

1. 물질의 반응속도 중학교 과학

단위시간당 반응물질의 농도 변화 또는 단위시간당 생성물질의 농도 변화를 반응속도라고 합니다. 일정 시간 동안 반응물질의 농도 변화가 클수록 또는 생성물질의 농도 변화가 클수록 반응속도가 크다고 할 수 있습니다.

2. 기화 초등과학 5-1

기화는 액체 상태의 물질이 기체 상태로 바뀌는 현상입니다. 물질의 상태가 고체, 액체, 기체로 진행됨에 따라 분자운동은 더욱 활발해지는데, 이러한 활발한 운동은 보통 열에너지의 흡수로 일어납니다. 액체에서 기체로 변화할 때 주위로부터 흡수한 열을 기화열 또는 증발열이라고 합니다. 예를 들어, 100℃의 물(액체) 1kg을 100℃의 수증기(기체)로 만드는 데 필요한 기화열은 539kcal입니다.

3. 글루텐 중학교 과학

보리, 밀 등의 곡류에 존재하는 불용성 단백질로 몇 가지 단백질이 혼합되어 존재하며, 이 밖에 당과 지질도 함유하고 있습니다.

글루텐의 함량은 밀가루의 종류를 결정하기도 합니다. 밀가루에 소량의 물을 넣어 반죽하여 덩어리를 만든 다음 이것을 다량의 물속에서 주무르면, 녹말이 물속에서 현탁·제거됩니다. 그리고 점착성이 있는 덩어리로 남는데, 이것이 글루텐입니다.

4. 한붓그리기 중학교 수학

종이 위에서 붓을 한 번도 떼지 않고 같은 곳을 두 번 지나지 않으면서 주어진 도형을 그리는 일을 말합니다. 스위스의 수학자 오일러가 발표한 '오일러의 정리'에 따르면, 한 점에서 짝수 개의 선이 나와 있는 것을 짝수점, 홀수 개의 선이 나와 있는 것을 홀수점이라고 할 때, 홀수점만으로 이루어져 있는 도형이나 짝수점이 2개인 도형에서 그 한쪽을 출발점, 나머지 하나를 도착점으로 하는 경우에만 한붓그리기가 가능합니다.

5. 표면장력 초등과학 4-2

표면장력이란 액체의 표면이 스스로 수축하여 가능한 한 작은 면적을 이루려는 힘을 말합니다. 왁스를 칠한 유리 표면에는 물방울이 맺히는 반면, 깨끗한 유리 표면에는 물이 넓게 퍼져 얇은 막이 형성되는 것을 볼 수 있습니다. 이는 다른 상태의 유리 표면과 표면장력이 큰 물의 상호작용이 만들어 낸 결과입니다. 토란(혹은 연꽃)잎 표면에 내린 비가 마치 유리구슬 같은 물방울이 되어 굴러다니고, 소금쟁이가 수면 위를 여유롭게 걸어 다닐 수 있는 것도 물의 표면장력 때문입니다.

6. 교환법칙 중학교 수학

수나 식의 계산에서 계산 순서를 바꾸어 계산해도 그 결과가 같다는 법칙입니다. 덧셈과 곱셈에서는 교환법칙이 성립하지만, 뺄셈과 나눗셈에서는 교환법칙이 성립하지 않습니다.

7. 사칙 계산 초등수학 5-1

수의 연산에서 기본이 되는 4가지 연산(덧셈, 뺄셈, 곱셈, 나눗셈)을 사칙연산 또는 사칙계산이라고 합니다. 괄호, 지수, 곱셈과 나눗셈, 덧셈과 뺄셈 순으로 계산합니다.

8. 평면도형 중학교 수학

점, 직선, 곡선, 다각형, 원과 같이 두께가 없고 길이나 폭만 있는 도형을 평면도형이라고 합니다. 평면도형은 길이와 폭을 이용하여 그 둘레의 길이나 넓이를 구할 수 있습니다.

9. 열 응착 초등과학 5-1

철판을 충분히 가열해 두면 접촉한 생선 표면의 단백질이 한 번에 단단해져 철판에 잘 들러붙지 않는데, 그 원인은 단백질에 있습니다. 고기와 생선 등의 동물성 단백질은 가열하면 금속과 반응하여 들러붙기 쉬워지기 때문입니다. 이러한 반응을 열 응착 현상이라고 합니다.

10. 좌표평면 중학교 수학

좌표평면은 좌표축이 정해져 있는 평면을 말합니다. 좌표평면을 이용하여 수직으로 만나는 두 직선과 그 직선들까지의 거리에 부호를 붙여서 점의 위치를 나타낼 수 있습니다. 이때, 수직으로 만나는 두 직선을 각각 좌표축이라고 하고, 두 직선이 만나는 점을 원점이라고 합니다. 평면의 점 P에서 각 좌표축에 수선의 발을 내릴 때, 원점의 오른쪽에 수선의 발이 있으면 양의 부호, 왼쪽에 수선의 발이 있으면 음의 부호를 갖습니다.

11. 입체도형의 전개도 초등수학 6-1

원기둥, 원뿔, 각기둥 등의 입체도형을 펼쳐 놓은 그림을 입체도형의 전개도라고 합니다. 전개도에서 접는 부분은 점선으로, 나머지 부분은 실선으로 나타냅니다.

각기둥의 전개도에서 옆면은 모두 직사각형이지만, 밑면의 모양은 삼각형, 사각형, 오각형 등으로 다양합니다. 밑면이 삼각형이면 옆면은 3개, 사각형이면 옆면은 4개, 오각형이면 옆면이 5개입니다. 이처럼 각기둥의 전개도에서 옆면의 개수는 밑면 도형의 변의 개수와 같습니다. 또 각기둥의 전개도에서 마주 보는 면의 크기는 서로 같습니다.

12. 직육면체의 겉넓이 초등수학 6-1

직육면체의 겉넓이는 여섯 면의 넓이의 합과 같습니다. 직육면체의 겉넓이를 구하는 간단한 공식은 다음과 같습니다.

(직육면체의 겉넓이)=(한 밑면의 넓이)×2+(옆넓이)

13. 소수와 합성수 중학교 수학

1보다 큰 자연수 중에서 1과 자기 자신만을 약수로 가지는 수를 소수라고 합니다. 또 1보다 큰 자연수 중에서 소수가 아닌 수, 즉 약수가 3개 이상인 수를 합성수라고 합니다.

이야기를 떠올리며 물음에 답하기

1. 맛달이는 당근을 채썰기하면서 물질의 반응속도를 높이려고 했습니다. 물질의 반응속도가 무엇인지 말해 보세요.

2. 우사장이 자장면 면발로 하려고 한 한붓그리기에 대하여 이야기해 보세요.

3. 요달 스승이 말한 표면장력이 무엇인지 설명해 보세요.

4. 오렌지 주스와 가당연유는 컵에 붓는 순서에 관계없이 무거운 가당연유가 바닥에 깔립니다. 이를 통해 알 수 있는 수학적인 법칙을 이야기해 보세요.

5. 요달 스승은 생크림이 버터로 바뀌는 화학작용이 수학에도 있다고 말했습니다. 요달 스승이 말한 것이 무엇인지 이야기해 보세요.

6. 구이 요리를 하면서 할머니가 말한 평면도형의 밀기를 생각하면서 평면도형에 대해 설명해 보세요.

7. 맛달이가 사용한 석쇠를 떠올리며 좌표평면을 설명해 보세요.

8. 원기둥, 원뿔, 각기둥 등의 입체도형을 펼쳐 놓은 그림은 무엇인지 이야기해 보세요.

9. 생선튀김, 새우튀김의 튀김옷을 생각하며 직육면체의 겉넓이를 구하는 방법을 말해 보세요.

10. 요달 스승은 고추냉이를 강판에 갈아 매운맛을 찾듯이 에라토스테네스의 체를 이용하면 자연수에서 소수를 쉽게 찾아낼 수 있다고 했습니다. 소수와 합성수에 대해 설명해 보세요.

더 깊게 알아보기

1. 그림을 보고 빈칸에 알맞은 말을 적어 보세요.

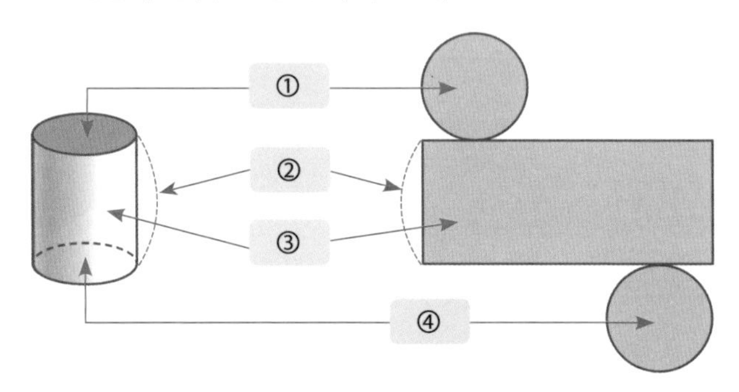

2. 다음 계산 과정에서 사용된 계산 법칙은 무엇인지 이야기해 보세요.

$(-2)+(+3)+(-4)$ ①
$=(+3)+(-2)+(-4)$ ②
$=(+3)+\{(-2)+(-4)\}$
$=(+3)+(-6)=-3$

3. 다음 좌표평면을 보고, 점 A와 B의 좌표를 기호로 나타내 보세요.

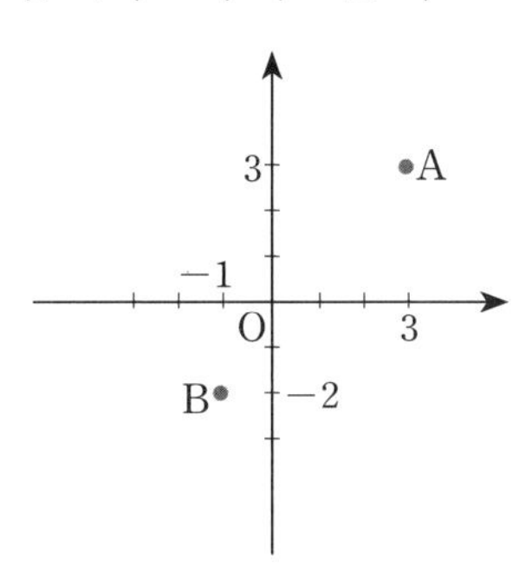

4. 다음과 같은 입체도형을 회전축을 따라 잘랐을 때, 단면은 어떤 모양일지 생각해 보세요.

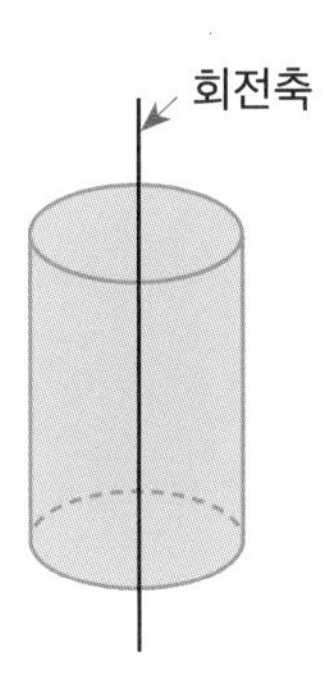

5. 한겨울에 장독대 안에 있는 간장이 얼지 않는 이유는 무엇인지 생각해 보세요.

정답 및 풀이

이야기를 떠올리며 물음에 답하기

1.
단위시간당 반응물질의 농도 변화 또는 단위시간당 생성물질의 농도 변화를 반응속도라고 합니다. 일정 시간 동안 반응물질의 농도 변화가 클수록 또는 생성물질의 농도 변화가 클수록 반응속도가 크다고 할 수 있습니다.

2.
종이 위에서 붓을 한 번도 떼지 않고 같은 곳을 두 번 지나지 않으면서 주어진 도형을 그리는 일을 말합니다. 스위스의 수학자 오일러는 한붓그리기의 가능 또는 불가능을 조사하여 '오일러의 정리'를 발표했습니다. 오일러의 정리에 따르면, 한 점에서 짝수 개의 선이 나와 있는 것을 짝수점, 홀수 개의 선이 나와 있는 것을 홀수점이라고 할 때, 홀수점만으로 이루어져 있는 도형이나 짝수점이 2개인 도형에서 그 한쪽을 출발점, 나머지 하나를 도착점으로 하는 경우에만 한붓그리기가 가능합니다.

3.
표면장력이란 액체의 표면이 스스로 수축하여 가능한 한 작은 면적을 이루려는 힘을 말합니다. 고체 표면에 물을 뿌리면, 물방울이 맺히기도 하고 넓게 퍼지기도 합니다. 왁스를 칠한 유리 표면에는 물방울이 맺히는 반면, 깨끗한 유리 표면에는 물이 넓게 퍼져 얇은 막이 형성되는 것을 볼 수 있는데, 이는 다른 상태의 유리 표면과 표면장력이 큰 물의 상호작용이 만들어 낸 결과입니다. 토란(혹은 연꽃)잎 표면에 내린 비가 마치 유리구슬 같은 물방울이 되어 굴러다니고, 소금쟁이가 수면 위를 여유롭게 걸어 다닐 수 있는 것도 물의 표면장력 때문입니다.

4.

수나 식의 계산에서 사용되는 교환법칙을 알 수있습니다. 교환법칙에 따르면 순서를 바꾸어 계산해도 그 결과가 같습니다. 그런데 덧셈과 곱셈에서는 교환법칙이 성립하지만, 뺄셈과 나눗셈에서는 교환법칙이 성립하지 않습니다.

5.

수의 연산에서 기본이 되는 4가지 연산(덧셈, 뺄셈, 곱셈, 나눗셈)을 사칙연산 또는 사칙계산이라고 합니다. 괄호, 지수, 곱셈과 나눗셈, 덧셈과 뺄셈 순으로 계산합니다.

6.

점, 직선, 곡선, 다각형, 원과 같이 두께가 없고 길이나 폭만 있는 도형을 평면도형이라고 합니다. 평면도형은 길이와 폭을 이용하여 그 둘레의 길이나 넓이를 구할 수 있습니다.

평면도형을 오른쪽, 왼쪽, 위쪽, 아래쪽으로 밀어도 모양과 크기는 변하지 않습니다. 또 도형을 오른쪽이나 왼쪽으로 뒤집으면 도형의 좌우가 바뀌고, 도형을 위쪽이나 아래쪽으로 뒤집으면 도형의 위아래가 바뀝니다.

7.

좌표평면은 가로축과 세로축으로 이루어진 평면을 말합니다. 수직으로 만나는 두 직선과 그 직선들까지의 거리에 부호를 붙여서 점의 위치를 나타낼 수 있습니다. 이때, 수직으로 만나는 두 직선을 각각 좌표축이라고 하고, 두 직선이 만나는 점을 원점이라고 합니다. 평면의 점 P에서 각 좌표축에 수선의 발을 내릴 때, 원점의 오른쪽에 수선의 발이 있으면 양의 부호, 왼쪽에 수선의 발이 있으면 음의 부호를 갖습니다.

8.

원기둥, 원뿔, 각기둥 등의 입체도형을 펼쳐 놓은 그림을 입체도형의 전개도라고 합니다. 전개도에서 접는 부분은 점선으로, 나머지 부분은 실선으로 나타냅니다.

각기둥의 전개도에서 옆면은 모두 직사각형이지만, 밑면의 모양은 삼각형, 사각형, 오각형 등으로 다양합니다. 밑면이 삼각형이면 옆면은 3개, 사각형이면 옆면은 4개, 오각형이면 옆면이 5개입니다. 이처럼 각기둥의 전개도에서 옆면의 개수는 밑면 도형의 변의 개수와 같습니다. 또 각기둥의 전개도에서 마주 보는 면의 크기는 서로 같습니다.

9.

직육면체를 둘러싼 여섯 면의 넓이의 합을 직육면체의 겉넓이라고 합니다.

(직육면체의 겉넓이)=(한 밑면의 넓이)×2+(옆넓이)

10.

1보다 큰 자연수 중에서 1과 자기 자신만을 약수로 가지는 수를 소수라고 합니다. 또 1보다 큰 자연수 중에서 소수가 아닌 수, 즉 약수가 3개 이상인 수를 합성수라고 합니다.

더 깊게 알아보기

1. ① **밑면** ② **높이** ③ **옆면** ④ **밑면**

2. ① **교환법칙** ② **결합법칙**

교환법칙은 수나 식의 계산을 편리하게 하기 위해서 자리를 바꾸어 계산하는 것을 말합니다. 덧셈과 곱셈에서는 교환법칙이 성립하지만, 뺄셈과 나눗셈에서는 교환법칙이 성립하지 않습니다. 그리고 결합법칙은 계산을 편리하게 하기 위해 괄호로 묶어서 먼저 계산하는 방법입니다.

3. **A(3, 3), B(−1, −2)**

좌표를 읽을 때는 가로축을 먼저 읽고 세로축을 읽습니다. 그리고 괄호로 묶어 좌표를 나타냅니다. 즉, 좌표는 A(가로좌표, 세로좌표)로 나타낼 수 있습니다.

4. **직사각형**

그림의 도형은 원기둥입니다. 원기둥은 회전축을 기준으로 직사각형을 한 바퀴 회전시키면 만들 수 있고, 원기둥을 회전축을 따라 자른 단면은 직사각형입니다.

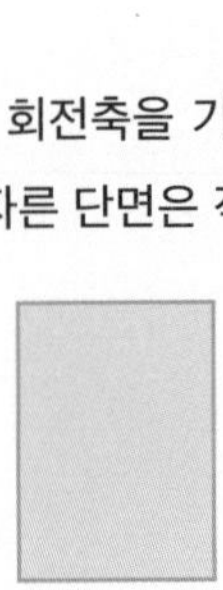

5.

간장은 물보다 어는점이 상당히 낮기 때문입니다. 액체 속에 무언가가 녹아 있으면, 용액의 어는점이 떨어집니다. 순수한 물질이 혼합물이 되면 상태가 달라지기 때문에 어는점이 내려가는 것이지요. 소금물, 설탕물, 식초, 술 같은 것도 잘 얼지 않습니다. 어는점은 녹아 있는 용질의 농도가 커질수록 더 많이 내려갑니다.

동물에 숨은 도형을 찾아서

전영석, 박옥길 글 • 조은혜 그림

분야 어린이 / 초등 학습 / 수학 / 과학

키워드 #STEAM #도형 #합동과 대칭 #표면적과 부피

내용 소개

쌍둥이 남매 긍후와 후은은 여름방학 첫날부터 늦잠을 잤다. 잠에서 깨어 보니 엄마, 아빠는 없고 식탁 위에 앨범과 쪽지만 덩그러니 놓여 있다. 쪽지에는 앨범 속 사진을 이정표 삼아 잘 따라오라는 엄마의 당부가 적혀 있었다. 오누이가 먼저 도착한 곳은 동물원. 둘은 사진 속 힌트를 따라가며 동물원 곳곳에서 만나는 흥미로운 힌트를 통해 동물 속에 감춰진 다양한 도형과 그 특징을 하나하나 발견한다. 과연 긍후와 후은은 동물에 숨어 있는 도형을 모두 찾고 엄마, 아빠를 다시 만날 수 있을까?

교과 연계

	1학년	2학년	3학년	4학년	5학년	6학년	중학교
수학				★	★		★
과학					★		★

단원 안내

[초등수학 4-2] 2. 삼각형

[초등수학 5-2] 3. 합동과 대칭

[초등과학 5-1] 5. 다양한 생물과 우리생활

개념 쏙쏙! 읽으면서 익히자

1. 삼각형의 종류와 특징 초등수학 4-2

삼각형은 3개의 변과 3개의 꼭짓점을 가지며, 내각 크기의 합이 180°인 도형입니다.

- 정삼각형 : 세 변의 길이가 같고, 세 각의 크기가 모두 60°입니다.
- 이등변삼각형 : 두 변의 길이가 같고, 두 각의 크기가 같습니다.
- 예각삼각형 : 모든 각이 90°보다 작습니다.
- 직각삼각형 : 한 각의 크기가 90°입니다.
- 둔각삼각형 : 한 각의 크기가 90°보다 크고 180°보다 작습니다.

2. 척추동물의 번식 방법 초등과학 5-1

난생	난태생	태생
동물이 알을 낳아 번식하는 방법입니다.	알이 어미의 몸 안에서 부화해 나오는 번식 방법입니다.	동물이 새끼를 낳아 번식하는 방법입니다.
물고기, 개구리, 뱀, 새 등	살모사, 방울뱀, 상어, 가오리 등	말, 토끼, 사자 등

3. 찰스 다윈 초등과학 5-1

영국의 생물학자로 생물 진화론을 세웠습니다. 해군 측량선 비글호에 박물학자로 승선하여 남아메리카·남태평양의 여러 섬과 오스트레일리아 등을 항해·

탐사했고, 그 관찰 기록을 『비글호 항해기』로 출판하여 진화론의 기초를 확립했습니다. 그리고 1859년 진화론에 관한 자료를 정리한 『종의 기원』이라는 저작을 통해 진화 사상을 공개, 발표했습니다.

4. 사각형의 종류와 특징 초등수학 4-2

사각형은 4개의 변과 4개의 꼭짓점을 가지며, 내각 크기의 합이 360°인 도형입니다.

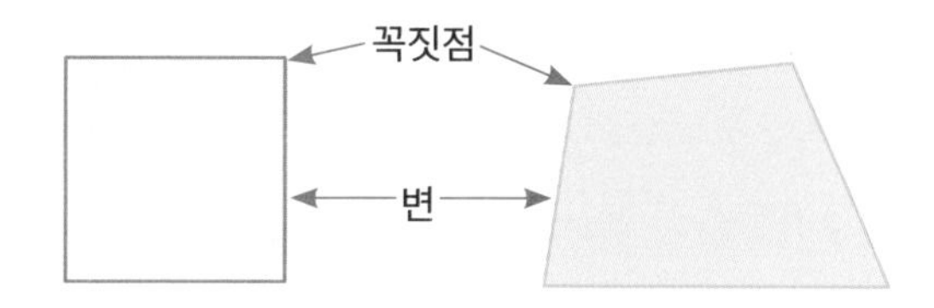

- 정사각형 : 네 변의 길이가 같고, 네 각의 크기가 모두 90°입니다.
- 직사각형 : 네 각의 크기가 모두 직각입니다.
- 마름모 : 네 변의 길이가 모두 같습니다.
- 평행사변형 : 마주 보는 두 쌍의 변이 서로 평행입니다.
- 사다리꼴 : 한 쌍의 대변이 평행입니다.

5. 상동기관과 상사기관 초등과학 5-1

상동기관(相同器官)	상사기관(相似器官)
다양한 생물들의 기관이 형태나 기능은 서로 다르지만, 그 기원과 해부학적 구조가 같은 경우	기원이 서로 다른 생물의 기관이 겉보기에 형태나 기능은 비슷한 경우

6. 강장동물과 극피동물 초등과학 5-1

해파리처럼 속이 비어 있는 동물을 강장동물이라고 합니다. 강장동물은 다세포동물이기는 하지만, 몸의 구조가 간단하고 중추신경과 배설기가 없으며, 소화계와 순환계가 분리되어 있지 않는 등 진화의 정도가 낮습니다. 요즘에는 유즐동물, 자포동물이라고 부릅니다.

극피동물은 불가사리처럼 특이한 피부를 가진 동물을 말합니다. '극피'라는 이름은 '고슴도치 피부'라는 뜻의 그리스어에서 유래되었습니다. 불가사리, 성게, 바다나리, 해삼 등이 극피동물에 속합니다. 극피동물의 몸은 공 모양, 원판 모양, 원통 모양, 별 모양 등 다양한 형태를 가지고 있는데, 다섯 부분의 방사대칭 형태를 띱니다. 극피동물의 몸에는 척추가 없고, 체벽에 탄산칼슘으로 이루어진 석회판의 견고한 골격을 함유하고 있습니다.

7. 선대칭 도형 초등수학 5-2

평면의 정사각형을 대각선을 지나는 직선을 따라 접으면 정사각형의 좌우가 정확하게 겹쳐집니다. 이와 같이 어떤 평면의 도형을 대칭축을 따라 접었을 때, 완전히 겹쳐지면 선대칭 도형입니다. 같은 방법으로 공간 도형에 대해서도 선대칭 도형을 생각할 수 있습니다.

8. 정다각형 중학교 수학

정다각형은 변의 길이가 모두 같고, 각의 크기가 모두 같은 다각형입니다. 변의 개수에 따라 정삼각형, 정사각형, 정오각형, 정육각형, … 등이 있습니다.

9. 각 초등수학 3-1

한 점에서 그은 두 반직선으로 이루어진 도형을 각이라고 합니다. 이때, 그 한 점은 꼭짓점, 두 반직선은 변입니다. 이 두 반직선이 벌어진 정도를 나타내는 양을 각도라고 합니다.

10. 각도기로 각을 재는 방법 초등수학 4-1

① 각의 꼭짓점(각 ㄱ)을 각도기의 중심에 맞춘다.

② 각도기의 밑금을 변 ㄴ에 맞춘다.

③ 변 ㄷ이 닿는 눈금을 읽는다. (각 ㄱ=50°)

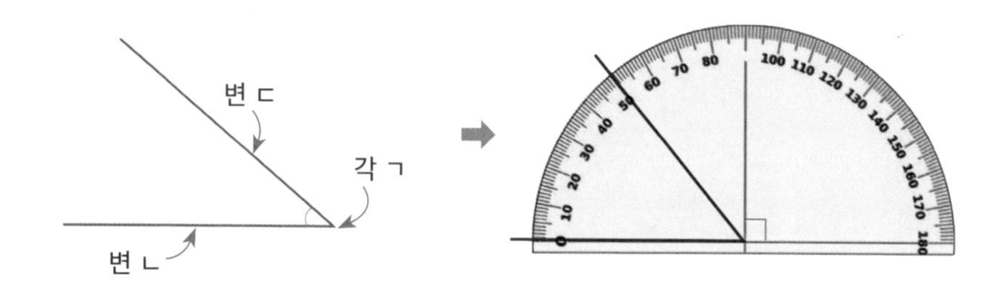

11. 공기저항력 초등과학 5-2

공기저항력은 공기가 물체의 움직임을 막으려는 힘으로, 공기 중을 움직이는 물체에 작용하는 마찰력입니다. 물체가 운동하는 방향의 반대 방향으로 작용하며, 물체의 속력이 빠를수록, 이동 방향을 향한 면적이 넓을수록 큽니다. 따라서 천천히 움직일 때에는 힘의 크기가 작아 거의 느낄 수 없습니다. 하지만 자전거를 탈 때나 스카이다이빙처럼 빠른 속력으로 밑으로 떨어질 때에는 속력과 면적에 비례하는 저항력을 느낄 수 있습니다.

12. 무게중심 중학교 수학

물체의 어떤 곳을 매달거나 받쳤을 때 수평으로 균형을 이루는 점을 무게중심이라고 합니다. 무게중심은 물체의 위치가 어떠한가와 관련이 있습니다. 물체의 윗부분에 무게중심이 있을 경우 물체는 매우 불안정한 상태가 되어 쓰러지기 쉽습니다. 하지만 무게중심이 물체의 아랫부분에 있을 경우에는 안정한 상태가 되어 잘 쓰러지지 않습니다.

대칭인 물체의 무게중심은 가로세로의 대칭선이 만나는 곳에 있으며, 직사각형에서는 두 대각선이 만나는 점으로도 무게중심을 찾을 수 있습니다. 삼각형에서는 한 꼭짓점과 그 대변의 중점을 이은 3개의 선분(중선)이 만나는 점이 무게중심입니다. 삼각형의 무게중심은 각 중선(꼭짓점과 대변의 중점을 이은 선)의 길이를 꼭짓점으로부터 2:1로 나눕니다.

13. 피보나치수열 중학교 수학

이탈리아의 수학자 피보나치가 발견한 수열입니다. 피보나치수열을 생성하는 기본 규칙은 처음 두 항은 1이고, 세 번째 항부터는 그 값이 바로 앞의 두 항의 합이 된다는 것입니다.

$$1, 1, 2, 3, 5, 8, 13, 21, 34, 55, \cdots$$

이처럼 세 번째 항은 첫 번째 항인 1과 두 번째 항인 1을 더한 값인 2가 되고, 네 번째 항은 두 번째 항인 1과 세 번째 항인 2를 더한 값인 3이 됩니다.

이야기를 떠올리며 물음에 답하기

1. 궁후와 후은이는 병아리 쇼에서 삼각형을 발견했습니다. 삼각형의 종류와 성질을 이야기해 보세요.

2. 척추동물의 번식 방법에 대하여 말해 보세요.

3. 후은이와 궁후가 핀과 고무줄을 이용해 만든 것은 사각형입니다. 사각형의 종류와 특징을 알아보세요.

4. 개구리의 앞발, 비둘기의 날개, 고래의 지느러미를 떠올리며 상동기관과 상사기관을 비교해 보세요.

5. 불가사리, 성게, 해삼 같은 극피동물에 대하여 알아보세요.

6. 대칭축을 중심으로 접었을 때 완전히 겹쳐지는 선대칭 도형에 대해 설명해 보세요.

7. 궁후와 후은이가 스낵 코너에서 받았던 카드 뭉치에는 여러 가지 정다각형이 그려져 있었습니다. 정다각형이 무엇인지 이야기해 보세요.

8. 엄마는 비행기가 공기저항력을 줄여 주는 형태로 만들어졌다고 했습니다. 공기저항력에 대해 이야기해 보세요.

9. 양의 뿔과 앵무조개를 떠올리면서 '1, 1, 2, 3, 5, 8, 13, 21, 34, 55, …'와 같이 나열되는 수열에 대해 설명해 보세요.

더 깊게 알아보기

1. 삼각형 ABC와 삼각형 BCD는 이등변삼각형입니다. x의 크기를 구해 보세요.

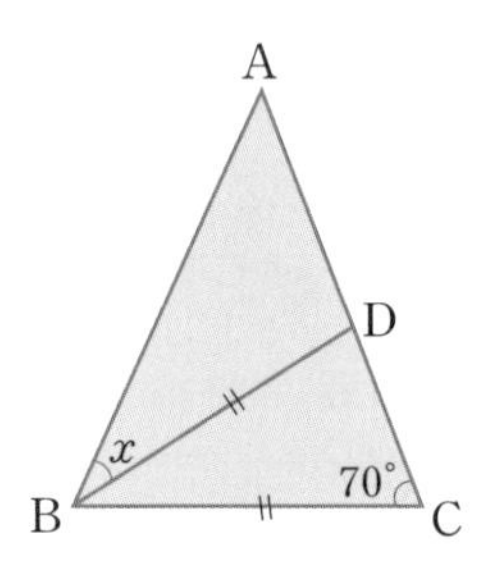

2. 평행사변형 ABCD의 넓이가 20cm²일 때, 색칠한 부분의 넓이를 구해 보세요.

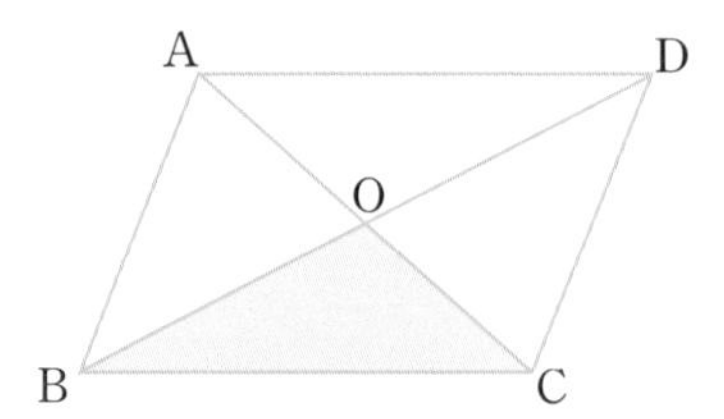

3. 사각형 ABCD는 평행사변형입니다. x와 y의 크기를 구해 보세요.

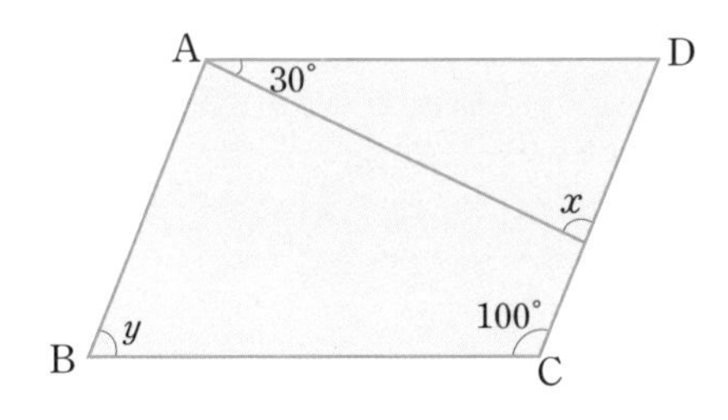

4. 항온동물과 변온동물의 예를 찾아보고, 두 동물의 차이점을 말해 보세요.

5. 다음 그림에서 색칠한 부분의 넓이를 구해 보세요.

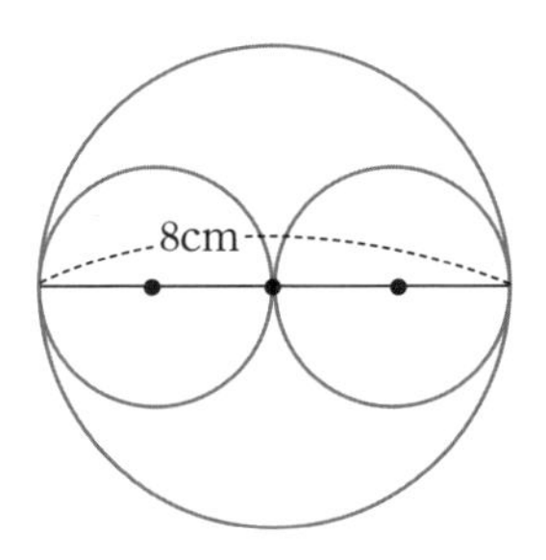

이야기를 떠올리며 물음에 답하기

1.

삼각형은 3개의 변과 3개의 꼭짓점을 가지며, 내각 크기의 합이 180°인 도형입니다.

- 정삼각형 : 세 변의 길이가 같고, 세 각의 크기가 모두 60°입니다.
- 이등변삼각형 : 두 변의 길이가 같고, 두 각의 크기가 같습니다.
- 예각삼각형 : 모든 각이 90°보다 작습니다.
- 직각삼각형 : 한 각의 크기가 90°입니다.
- 둔각삼각형 : 한 각의 크기가 90°보다 크고 180°보다 작습니다.

2.

난생	난태생	태생
동물이 알을 낳아 번식하는 방법입니다.	알이 어미의 몸 안에서 부화해 나오는 번식 방법입니다.	동물이 새끼를 낳아 번식하는 방법입니다.
물고기, 개구리, 뱀, 새 등	살모사, 방울뱀, 상어, 가오리 등	말, 토끼, 사자 등

3.

사각형은 4개의 변과 4개의 꼭짓점을 가지며, 내각 크기의 합이 360°인 도형입니다.

- 정사각형 : 네 변의 길이가 같고, 네 각의 크기가 모두 90°입니다.
- 직사각형 : 네 각의 크기가 모두 직각입니다.
- 마름모 : 네 변의 길이가 모두 같습니다.
- 평행사변형 : 마주 보는 두 쌍의 변이 서로 평행입니다.

• 사다리꼴 : 한 쌍의 대변이 평행입니다.

4.

상동기관(相同器官)	상사기관(相似器官)
다양한 생물들의 기관이 형태나 기능은 서로 다르지만, 그 기원과 해부학적 구조가 같은 경우	기원이 서로 다른 생물의 기관이 겉보기에 형태나 기능은 비슷한 경우

5.
극피동물은 불가사리처럼 특이한 피부를 가진 동물을 말합니다. '극피'라는 이름은 '고슴도치 피부'라는 뜻을 가진 그리스어에서 유래되었습니다. 불가사리, 성게, 바다나리, 해삼 등이 극피동물에 속합니다. 극피동물의 몸은 공 모양, 원판 모양, 원통 모양, 별 모양 등 다양한 형태를 가지고 있는데, 다섯 부분의 방사대칭 형태를 띱니다. 극피동물의 몸에는 척추가 없고, 체벽에 탄산칼슘으로 이루어진 석회판의 견고한 골격을 함유하고 있습니다.

6.
평면의 정사각형을 대각선을 지나는 직선을 따라 접으면 정사각형의 좌우가 정확하게 겹쳐집니다. 이와 같이 어떤 평면의 도형을 대칭축을 따라 접었을 때, 완전히 겹쳐지면 선대칭 도형입니다. 같은 방법으로 공간 도형에 대해서도 선대칭 도형을 생각할 수 있습니다.

7.
정다각형은 변의 길이가 모두 같고, 각의 크기가 모두 같은 다각형입니다. 변의 개수에 따라 정삼각형, 정사각형, 정오각형, 정육각형, … 등으로 나뉩니다.

8.
공기저항력은 공기가 물체의 움직임을 막으려는 힘입니다. 즉, 공기 중을 움직이는 물체에 작용하는 마찰력입니다. 물체가 운동하는 방향의 반대 방향으로 작용하며, 물체의 속력이 빠를수록, 이동 방향을 향한 면적이 넓을수록 큽니다. 따라서 천천히 움직일 때에는 힘의 크기가 작아 거의 느낄 수 없습니다. 하지만 자전거를 탈 때나 스카이다이빙처럼 빠른 속력으로 밑으로 떨어질 때에는 속력과 면적에 비례하는 저항력을 느낄 수 있습니다.

9.
양의 뿔과 앵무조개는 피보나치수열을 따르고 있습니다. 이탈리아의 수학자 피보나치가 발견한 이 수열을 생성하는 기본 규칙은 처음 두 항은 1이고, 세 번째 항부터는 그 값이 바로 앞의 두 항의 합이 된다는 것입니다.

$$1, 1, 2, 3, 5, 8, 13, 21, 34, 55, \cdots$$

이처럼 세 번째 항은 첫 번째 항인 1과 두 번째 항인 1을 더한 값인 2가 되고, 네 번째 항은 두 번째 항인 1과 세 번째 항인 2를 더한 값인 3이 됩니다.

더 깊게 알아보기

1. **30°**
삼각형의 내각의 합은 180°이고, 이등변삼각형에서 두 밑각의 크기는 같다는 성질을 이용하여 값을 구할 수 있습니다.

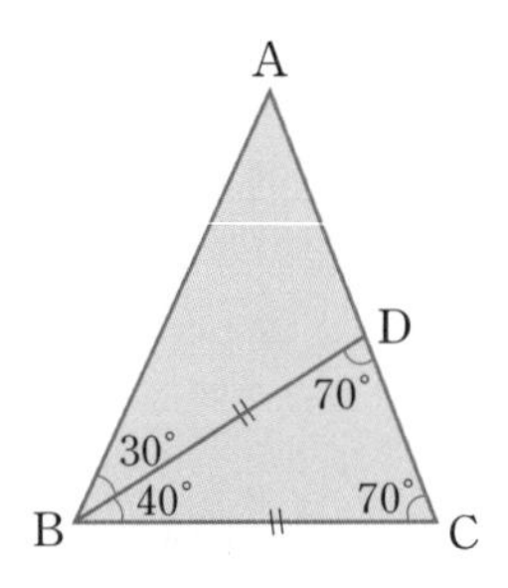

2. **5cm²**
평행사변형의 넓이는 두 대각선에 의해 4등분됩니다. 따라서 색칠한 부분의 넓이는
$20\times\frac{1}{4}=5\text{cm}^2$입니다.

3. $\boldsymbol{x=70°}$, $\boldsymbol{y=80°}$

평행사변형에서 두 쌍의 대각의 크기는 각각 서로 같다는 성질을 이용하여 x와 y의 크기를 구할 수 있습니다.

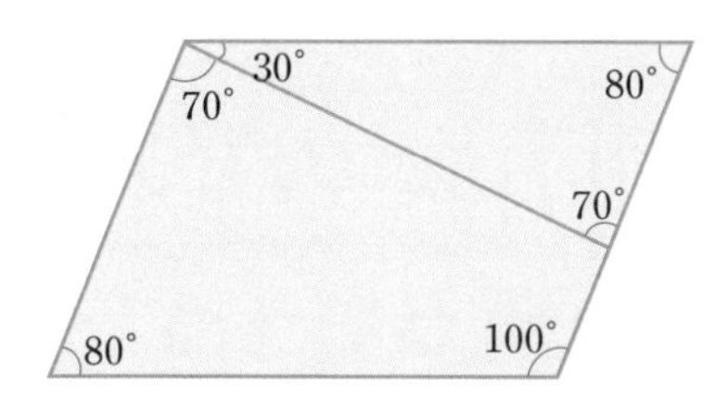

4.

항온동물은 조류나 포유류처럼 바깥 온도와 상관없이 체온이 항상 일정한 동물입니다. 사람, 강아지, 고양이, 돼지, 닭 등이 항온동물입니다.

변온동물은 체온을 조절하는 능력이 없기 때문에 바깥 온도에 따라 체온이 변하는 동물입니다. 개구리, 뱀 등이 변온동물입니다.

5. $\boldsymbol{8\pi\text{cm}^2}$

큰 원의 넓이에서 2개의 작은 원의 넓이를 빼면 색칠한 부분의 넓이가 남습니다. 원의 넓이는 원의 반지름의 제곱과 원주율(π)의 곱으로 구할 수 있습니다.

큰 원의 반지름은 4cm이므로 넓이는 $4\times4\times\pi=16\pi\text{cm}^2$입니다.

작은 원의 반지름은 2cm이므로 넓이는 $2\times2\times\pi=4\pi\text{cm}^2$입니다.

따라서 큰 원의 넓이에서 작은 원 2개의 넓이를 뺀 $16\pi-(4\pi+4\pi)=8\pi\text{cm}^2$이 색칠한 부분의 넓이입니다.

이기는 스포츠, 수학·과학으로 답을 찾아라!

김승태 글 • 이창우 그림

분야 어린이 / 초등 학습 / 수학 / 과학

키워드 #STEAM #스포츠 #무게중심 #물체의 운동 #각도

내용 소개

수학을 사랑하는 정신이와 과학을 좋아하는 체력이는 엉뚱하고 유쾌한 한계 삼촌과 함께 수영, 축구, 육상 등 다양한 스포츠의 역사와 경기 방식 그리고 그 속에 담겨 있는 수학과 과학의 원리를 찾아다닌다. 이 여정을 함께하면서 그들은 수학과 과학이 흔히 접하는 스포츠나 일상에 꽤 가까이 있음을 알게 된다. 또한 다양한 스포츠를 직접 즐기는 것은 물론 무게중심을 원리로 하는 수영의 다이빙, 마그누스 효과로 강력하게 휘어지는 축구의 슛, 던지는 각도가 중요한 원반던지기 등 스포츠가 매우 과학적이고 수학적인 활동이라는 점을 깨닫는다. 정신이와 체력이가 땀 흘리며 배우고 즐겁게 익힌 스포츠 속에 또 어떤 수학·과학 원리들이 있을까?

교과 연계

	1학년	2학년	3학년	4학년	5학년	6학년	중학교
수학			★	★	★		★
과학					★		★

단원 안내

[초등수학 3-2] 3. 원

[초등수학 4-1] 2. 각도

[초등수학 5-2] 3. 합동과 대칭

[초등과학 5-2] 4. 물체의 운동

개념 쏙쏙! 읽으면서 익히자

1. 여러 가지 각 초등수학 4-1

- 평각 : 각의 두 변이 한 직선을 이루는 각, 즉 크기가 180°인 각입니다.
- 직각 : 평각의 크기의 반인 각, 즉 크기가 90°인 각입니다.
- 예각 : 각의 크기가 0°보다 크고 90°보다 작은 각입니다.
- 둔각 : 각의 크기가 90°보다 크고 180°보다 작은 각입니다.

2. 작용과 반작용 중학교 과학

두 물체 사이에 어떤 힘이 작용할 때, 서로에게 작용하는 힘은 크기가 같고 방향은 서로 반대입니다. 이를 작용과 반작용이라고 합니다.

물리학의 큰 발전을 이끌어 낸 과학자 뉴턴이 1687년에 쓴 『프린키피아』에는 운동에 관한 3가지 법칙이 설명되어 있는데, 그중에서 세 번째가 작용 반작용의 법칙입니다.

3. 점대칭 도형 초등수학 5-2

한 점을 중심으로 180° 돌렸을 때 처음과 같아지는 도형을 점대칭 도형이라고 합니다. 점대칭 도형이나 점대칭의 위칭에 있는 도형에서 각 대응점끼리 이은 선분들이 만나는 점을 대칭의 중심이라고 합니다. 점대칭 위치에 있는 두 도형은 대칭의 중심을 기준으로 180° 회전하면 완전히 겹쳐집니다. 따라서 점대칭 위치에 있는 두 도형은 합동입니다.

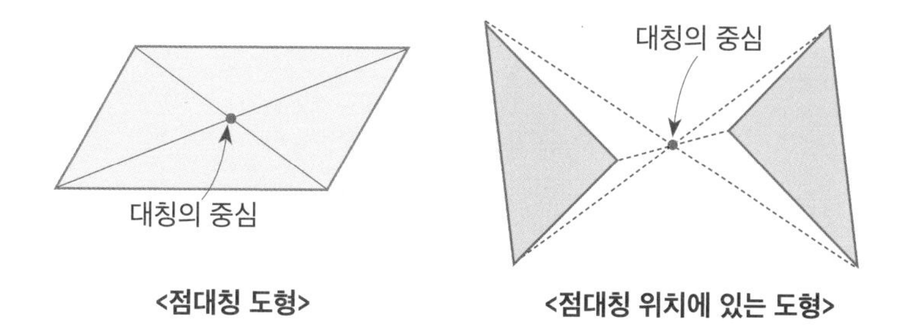

<점대칭 도형> <점대칭 위치에 있는 도형>

4. 사분원과 활꼴 중학교 수학

사분원이란 원을 균등하게 4등분한 것으로, 중심각의 크기는 90°입니다. 그리고 활꼴은 호와 현으로 이루어진 도형입니다. 원주 위에 서로 다른 두 점을 잇는 현을 그리면 2개의 활꼴이 만들어집니다.

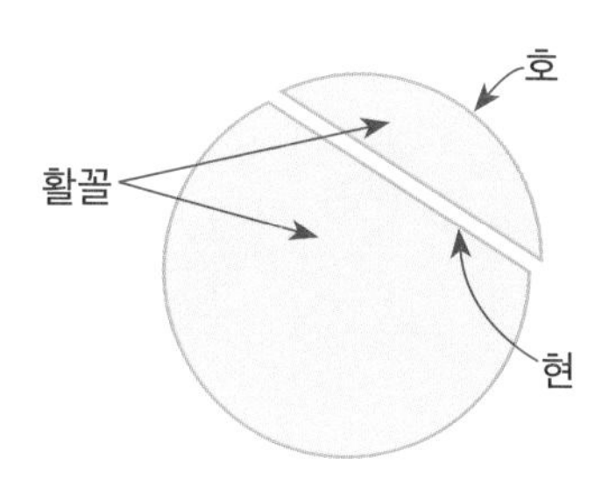

5. 유클리드 기하학 중학교 수학

우리가 사는 세상을 설명할 때 사용하는 기하학으로, 그리스의 수학자 유클리드가 만들었다고 하여 유클리드 기하학이라고 합니다. 유클리드는 기하학에 적용할 5개의 기본 이야기와 수학 전체에 통용되는 5개의 이야기를 다음과 같이 정리했습니다.

① 임의의 서로 다른 두 점을 지나는 직선은 유일합니다.

② 직선은 무한히 연장할 수 있습니다.

③ 임의의 점을 중심으로 임의의 길이를 반지름으로 하는 원을 그릴 수 있습니다.

④ 모든 직각은 서로 같습니다.

⑤ 한 평면 위의 직선이 그 평면 위의 두 직선과 만날 때, 같은 측면의 내각의 합이 180°보다 작을 경우 이 두 직선을 한없이 연장하면 서로 만납니다.

6. 지구와 만유인력 중학교 과학

지구는 만유인력으로 말미암아 물체를 지구 중심으로 당기는 힘을 가집니다. 많은 사람들이 '모든 물체는 아래로 떨어진다'라고 말할 테지만 떨어진다는 것은 상대적인 개념입니다. 아래 그림처럼 위로 올라가는 경우도 있기 때문입니다. 그래서 '만유인력'이라는 용어를 사용하여 당기는 힘에 대한 설명을 통일한 것입니다.

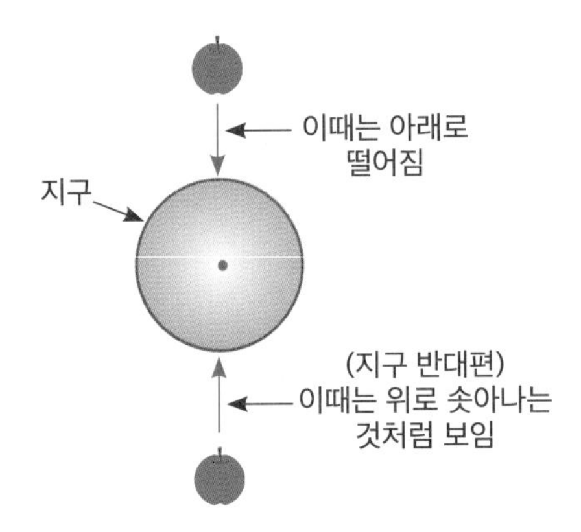

7. 이차함수와 그래프 중학교 수학

이차함수는 실수 전체의 집합을 정의역과 공역으로 하는 함수입니다. $y=f(x)$에서 y가 x에 관한 이차식으로 나타날 때, 이 함수 f를 x에 관한 이차함수라고 합니다.

이차함수 $y=ax^2$의 그래프와 같은 곡선을 포물선이라고 하고, 포물선의 대칭축을 포물선의 축, 포물선과 축이 만나는 교점을 포물선의 꼭짓점이라고 합니다. $y=ax^2$의 그래프는 다음과 같은 특징이 있습니다.

① 원점 (0, 0)을 꼭짓점으로 하고 y축을 축으로 하는 포물선입니다.

② $a>0$이면 아래로 볼록하고, $a<0$이면 위로 볼록합니다.

③ a의 절댓값이 클수록 포물선의 폭이 좁아집니다.

④ $y=-ax^2$의 그래프와 x축에 대하여 대칭입니다.

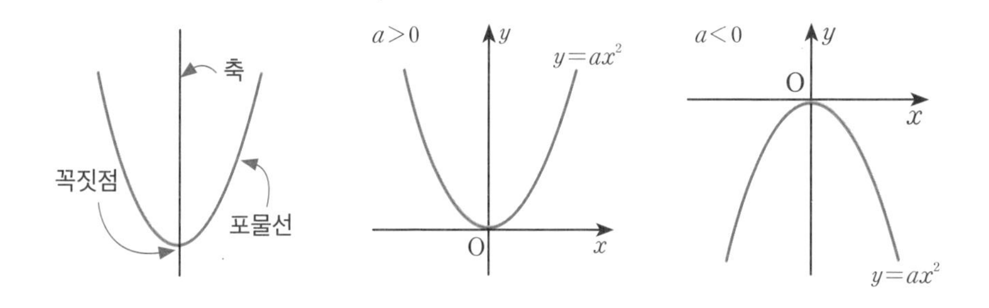

8. 원 초등수학 3-2

평면 위의 한 점에서 일정한 거리에 있는 점들로 이루어진 곡선을 원이라고 합니다. 컴퍼스를 이용하여 한 끝점을 고정하고 다른 한 끝점을 한 바퀴 돌리면 원이 만들어집니다. 이때, 컴퍼스로 찍은 점을 '원의 중심'이라고 하고, 원의 중심에서 원 위의 한 점까지의 거리를 '원의 반지름'이라고 합니다. 원의 중심은 원의 둘레의 모든 점으로부터 항상 같은 거리에 있기 때문에 반지름의 길이는 항상 같습니다. 또 원의 중심을 지나도록 원 위의 두 점을 이은 선분을 '원의 지름'이라고 하며 지름의 길이도 항상 같습니다.

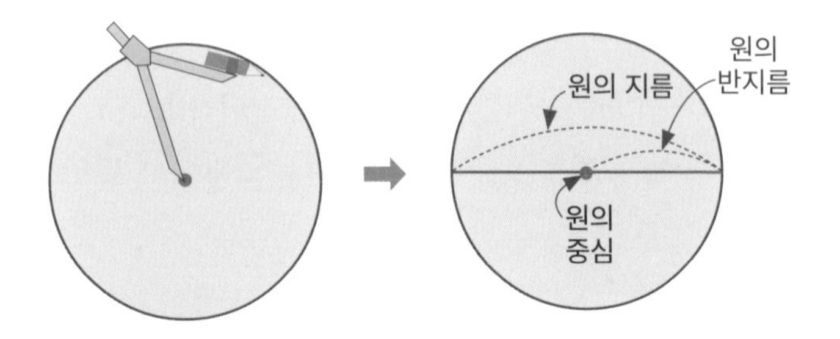

9. 부채꼴 중학교 수학

부채꼴은 호와 두 반지름으로 만들어진 도형입니다. 원의 중심이 가운데에 오도록 '부채꼴 AOB' 또는 '부채꼴 BOA'라고 읽습니다.

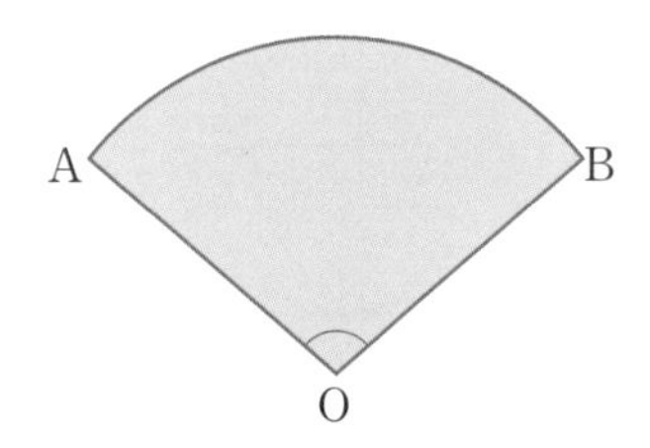

10. 원심력 중학교 과학

원심력은 원이나 곡선 위를 움직이는 물체에서 나타나는 관성력으로, 가속도 운동을 느끼는 가상적인 힘입니다. 원심력은 원의 중심과 반대 방향으로 작용하고, 가속도 운동을 하는 관측자에게만 느껴집니다. 예를 들어, 자동차가 커브길을 급회전할 때 몸이 바깥쪽으로 쏠리는 것은 원심력 때문입니다.

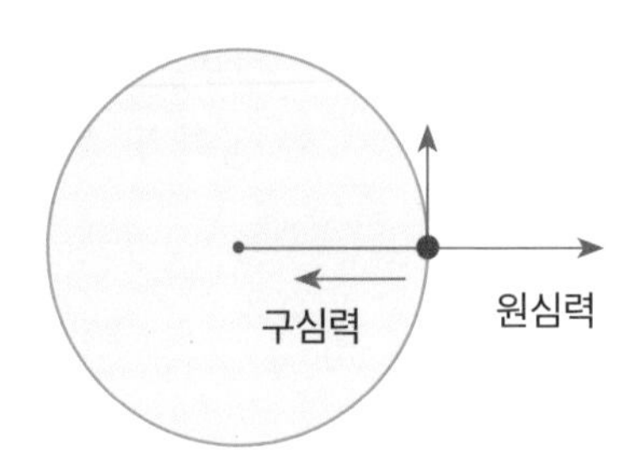

11. 선분 초등수학 3-1

선분은 양 끝점이 있으므로 길이를 잴 수 있습니다. 점 A와 점 B를 이은 선분을 '선분 AB' 또는 '선분 BA'라고 읽습니다.

12. 등식의 성질 중학교 수학

① 등식의 양변에 같은 수를 더해도 등식은 성립합니다.

$a=b$이면 $a+c=b+c$

② 등식의 양변에 같은 수를 빼도 등식은 성립합니다.

$a=b$이면 $a-c=b-c$

③ 등식의 양변에 같은 수를 곱해도 등식은 성립합니다.

$a=b$이면 $a\times c=b\times c$

④ 등식의 양변을 같은 수로 나누어도 등식은 성립합니다.

$a=b$이면 $a\div c=b\div c$ (단, $c\neq 0$)

13. 원과 직선의 관계 중학교 수학

원의 반지름을 r, 원의 중심에서 직선까지의 거리를 d라고 할 때,

① $d>r$이면 원과 직선이 만나지 않습니다.

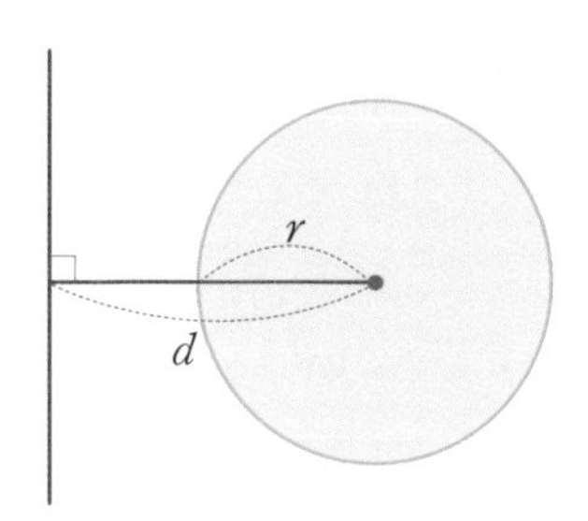

② $d=r$이면 원과 직선이 한 점에서 만납니다.

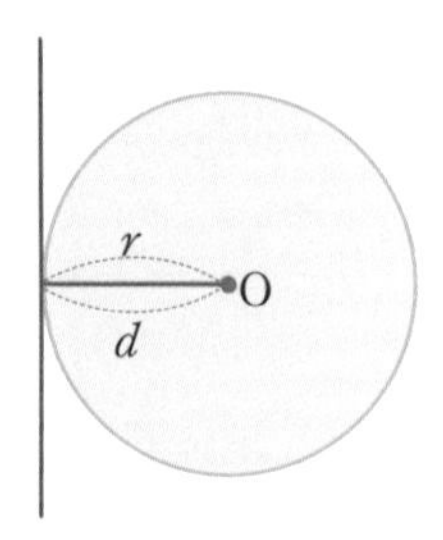

③ $d<r$이면 원과 직선이 두 점에서 만납니다.

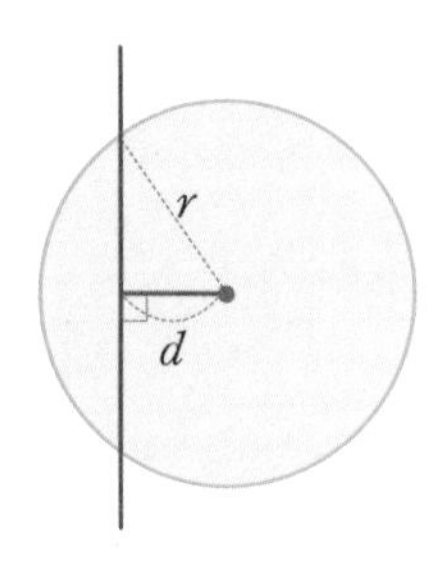

이야기를 떠올리며 물음에 답하기

1. 정신이가 체력이에게 발차기를 이용하여 보여 준 각을 분류해 보고, 그 특징을 이야기해 보세요.

2. 다이빙 경기에 대해 이야기하면서 정신이는 삼각형의 무게중심을 어떻게 설명했는지 말해 보세요.

3. 체력이가 자유영을 예로 들어 설명한 작용 반작용의 원리에 대하여 적어 보세요.

4. 정신이는 자유영과 배영을 한 집합으로 묶을 수 있다고 했습니다. 그 이유를 떠올리면서 점대칭 도형을 설명해 보세요.

5. 삼촌과 아이들이 축구공 위에 삼각형을 그리면서 배웠던 유클리드 기하학의 기본 성질 5가지를 말해 보세요.

6. 체력이는 높이뛰기를 만유인력에 저항하는 종목이라고 말했습니다. 만유인력이 무엇인지 설명해 보세요.

7. 체력이의 세단뛰기 연속 동작에서 정신이는 이차함수의 그래프 모양을 발견했습니다. 이차함수와 그래프에 대해 생각나는 대로 써 보세요.

8. 원반던지기 경기장에서 정신이가 발견한 부채꼴의 모양을 그리고 설명해 보세요.

9. 삼촌이 역도를 하면서 알게 된 등식의 성질 4가지를 모두 이야기해 보세요.

10. 체력이와 정신이가 야구 배트에 공이 맞는 지점을 이야기할 때 나온 원과 직선의 관계를 설명해 보세요.

더 깊게 알아보기

1. 다음 그림에서 x의 크기를 구해 보세요.

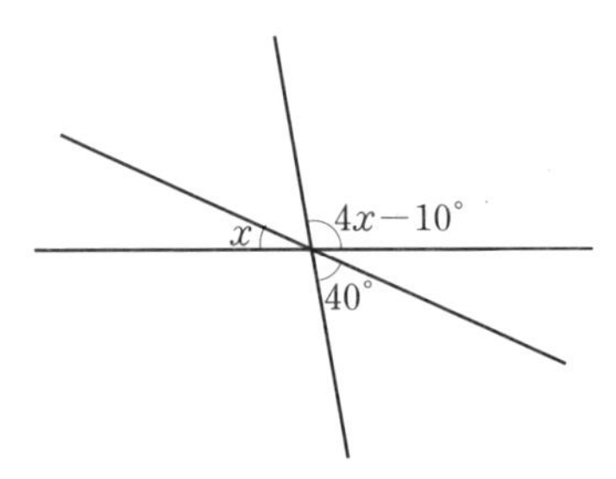

2. 점 G가 삼각형 ABC의 무게중심일 때, x의 값을 구해 보세요.

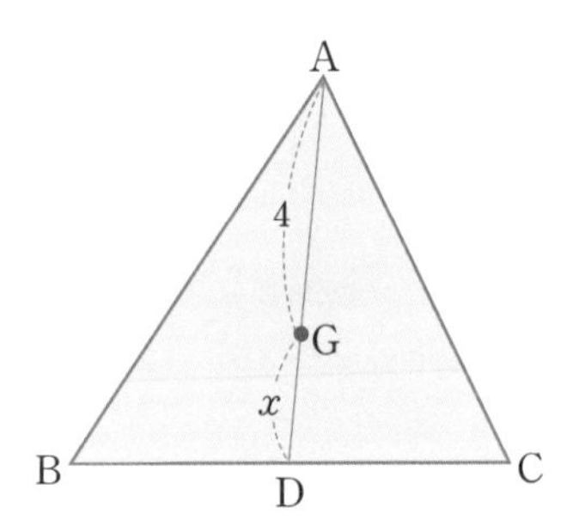

3. 좌표평면 위에 $y=x^2-4x+3$의 그래프를 그려 보세요.

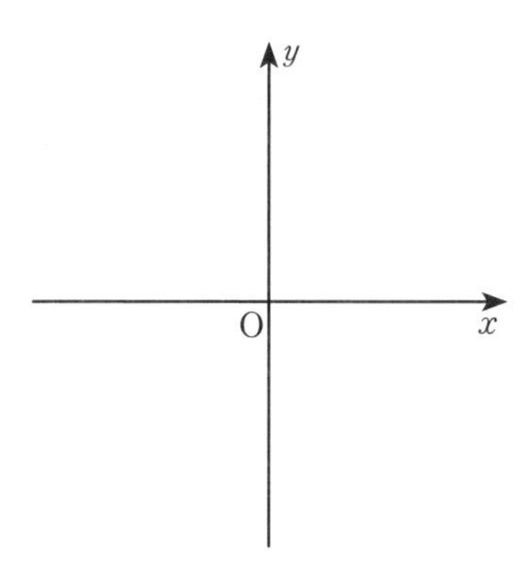

4. 등식의 성질을 이용하여 다음 방정식을 풀어 보세요.

$$3x-1=2x+4$$

5. 에너지 보존의 법칙이 무엇인지 생각해 보세요.

이야기를 떠올리며 물음에 답하기

1.

• 평각 : 각의 두 변이 한 직선을 이루는 각, 즉 크기가 180°인 각입니다.

• 직각 : 평각의 크기의 반인 각, 즉 크기가 90°인 각입니다.

• 예각 : 각의 크기가 0°보다 크고 90°보다 작은 각입니다.

• 둔각 : 각의 크기가 90°보다 크고 180°보다 작은 각입니다.

2.

삼각형의 각 변의 중점에서 마주 보는 꼭짓점을 찾아 연결하면 세 중선이 만나는 공통점이 무게중심입니다.

3.

자유영에서 팔을 앞으로 뻗어 물을 잡아 뒤로 끌면, 물이 그 작용에 대해 저항하는 힘으로 몸을 앞으로 보냅니다. 이처럼 어떤 두 물체 사이에 힘이 작용할 때, 서로에게 작용하는 힘의 크기가 같고 방향은 서로 반대인 것을 작용과 반작용이라고 합니다.

물리학의 큰 발전을 이끌어 낸 과학자 뉴턴이 1687년에 쓴 『프린키피아』에는 운동에 관한 3가지 법칙이 설명되어 있는데, 그중에서 세 번째가 작용 반작용의 법칙입니다.

4.

자유영과 배영은 한쪽 팔이 올라가면 나머지 팔은 내려오는 점대칭 도형에 비유할 수 있습니다. 점대칭 도형은 한 점을 중심으로 180° 돌렸을 때 처음과 같아지는 도형을 말합니다.

5. 유클리드 기하학의 기본 성질

① 임의의 서로 다른 두 점을 지나는 직선은 유일합니다.

② 직선은 무한히 연장할 수 있습니다.

③ 임의의 점을 중심으로 임의의 길이를 반지름으로 하는 원을 그릴 수 있습니다.

④ 모든 직각은 서로 같습니다.

⑤ 한 평면 위의 직선이 그 평면 위의 두 직선과 만날 때, 같은 측면의 내각의 합이 180°보다 작을 경우 이 두 직선을 한없이 연장하면 서로 만납니다.

6.

지구는 만유인력으로 말미암아 물체를 지구 중심으로 당기는 힘을 가집니다. 그런데 높이뛰기는 만유인력의 반대 방향인 위쪽으로 뛰어오르는 스포츠이기 때문에 만유인력에 저항한다고 생각할 수 있습니다.

7.

이차함수는 실수 전체의 집합을 정의역과 공역으로 하는 함수입니다. $y=f(x)$에서 y가 x에 관한 이차식으로 나타날 때, 이 함수 f를 x에 관한 이차함수라고 합니다.

이차함수 $y=ax^2$의 그래프와 같은 곡선을 포물선이라고 하고, 포물선의 대칭축을 포물선의 축, 포물선과 축이 만나는 교점을 포물선의 꼭짓점이라고 합니다. $y=ax^2$의 그래프는 다음과 같은 특징이 있습니다.

① 원점 $(0, 0)$을 꼭짓점으로 하고 y축을 축으로 하는 포물선입니다.

② $a>0$이면 아래로 볼록하고, $a<0$이면 위로 볼록합니다.

③ a의 절대값이 클수록 포물선의 폭이 좁아집니다.

④ $y=-ax^2$의 그래프와 x축에 대하여 대칭입니다.

8.

부채꼴은 호와 두 반지름으로 만들어진 도형입니다. 원의 중심이 가운데에 오도록 '부채꼴 AOB' 또는 '부채꼴 BOA'라고 읽습니다.

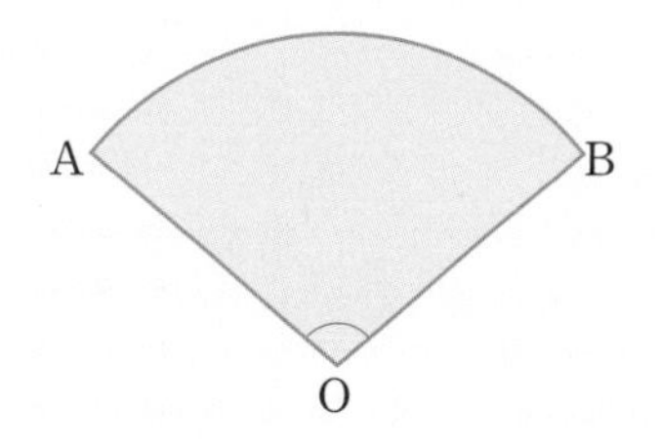

9. 등식의 성질

① 등식의 양변에 같은 수를 더해도 등식은 성립합니다.

$a=b$이면 $a+c=b+c$

② 등식의 양변에 같은 수를 빼도 등식은 성립합니다.

$a=b$이면 $a-c=b-c$

③ 등식의 양변에 같은 수를 곱해도 등식은 성립합니다.

$a=b$이면 $a\times c=b\times c$

④ 등식의 양변을 같은 수로 나누어도 등식은 성립합니다.

$a=b$이면 $a\div c=b\div c$ (단, $c\neq0$)

10.

원의 반지름을 r, 원의 중심에서 직선까지의 거리를 d라고 할 때,

① $d>r$이면 원과 직선이 만나지 않습니다.

② $d=r$이면 원과 직선이 한 점에서 만납니다.

③ $d<r$이면 원과 직선이 두 점에서 만납니다.

더 깊게 알아보기

1. **30°**

맞꼭지각의 크기는 같다는 성질을 이용하여 문제를 풀 수 있습니다.

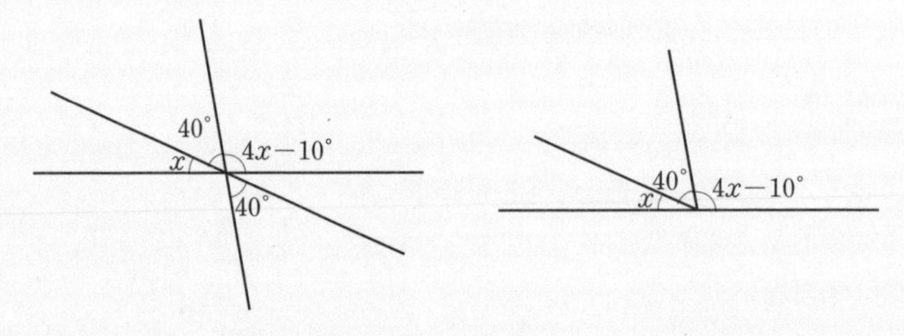

$x+40°+(4x-10°)=180°$라는 방정식을 간단히 하면, $5x=150°$이므로 $x=30°$입니다.

2. 2

무게중심은 중선의 길이를 $2:1$로 나눈다는 성질을 이용하여 x의 길이를 구합니다. 점 G는 선분 AD의 길이를 $2:1$로 나누므로 $2:1=4:x$와 같이 비례식으로 표현할 수 있습니다. 비례식의 내항의 곱과 외항의 곱은 크기가 같으므로 $2x=1\times4$라는 방정식으로 바꿀 수 있습니다. 따라서 x의 길이는 2입니다.

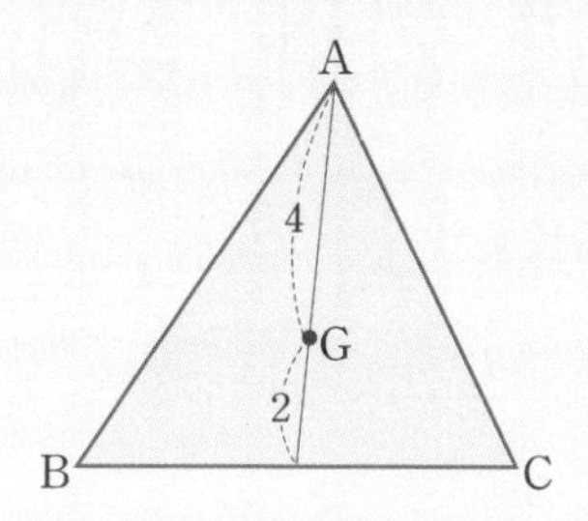

3.

$y=x^2-4x+3$은 $y=x^2-4x+4-4+3$와 같으므로 $y=(x-2)^2-1$로 간단히 나타낼 수 있습니다.

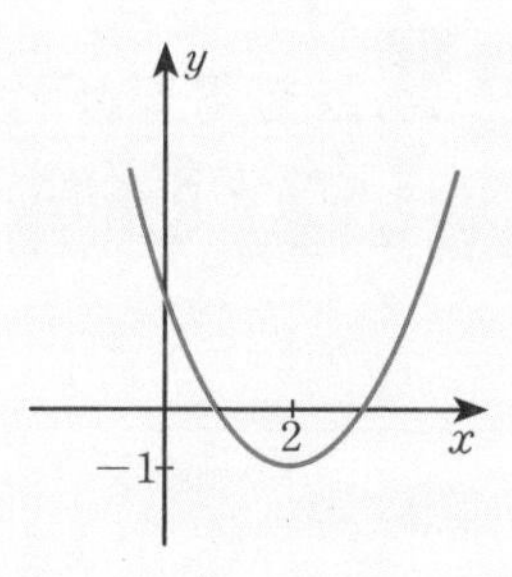

4. $x=5$

$3x-1=2x+4$의 양변에 각각 1을 더해 주면, $3x=2x+5$가 됩니다. 다시 양변에 각각 $2x$를 빼 주면 $x=5$가 됩니다.

5.

마찰력이나 공기의 저항력이 무시될 때, 운동 상태가 변하면 물체가 가지고 있는 역학적 에너지는 전환되지만 에너지의 양은 항상 일정하게 보존되는데, 이를 에너지 보존의 법칙이라고 합니다.

곤충과 함께 찾아가는 에너지 대탐험

서원호, 안소영 글 • 조봉현 그림

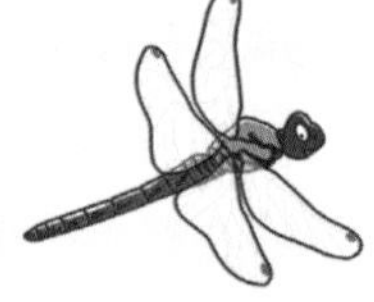

분야 어린이 / 초등 학습 / 수학 / 과학

키워드 #STEAM #에너지 #빛 #지열 #소리 #단위

내용 소개

웬일인지 아침 일찍 학교에 도착한 지각 대장 동글이. 텃밭에 물을 주고 있는데 개미가 동글이를 불렀다. 개미와 이야기를 나누다 보니 어느새 몸이 작아진 동글이는 개미를 따라 개미집으로 들어간다. 한편, 유니와 태양이는 수업 시간이 다 되도록 오지 않는 동글이가 걱정돼 교실 밖으로 나선다. 둘은 곤충들의 도움을 받아 동글이를 만나는데, 곧 두 친구의 몸도 곤충만큼 작아진다. 작은 몸을 이끌고 어떻게든 다시 학교로 돌아가기 위해 모험을 하며 세 사람은 여러 곤충을 만나 단위와 에너지를 배운다. 곤충들을 만나다 보니 어느새 캄캄한 밤이 되었는데……. 세 친구는 무사히 학교로 돌아갈 수 있을까?

교과 연계

	1학년	2학년	3학년	4학년	5학년	6학년	중학교
수학			★		★		★
과학			★				★

단원 안내

[초등수학 3-1] 8. 길이와 시간

[초등수학 5-1] 6. 다각형의 둘레와 넓이

[초등과학 3-2] 2. 동물의 생활

개념 쏙쏙! 읽으면서 익히자

1. 페로몬 초등과학 3-2

동물 개체 사이에서 신호 전달을 위하여 이용되는 극소량의 화학물질입니다. 호르몬과는 달리 체외로 배출되어 강력한 작용을 하는데, 그 작용에 따라 '생리 변화 페로몬'과 '행동 유기 페로몬'으로 크게 구분됩니다. 곤충 사회에서는 페로몬으로 계급을 분화하거나 생식 능력을 억제하기도 합니다.

2. 소화기관 초등과학 3-2

동물이 섭취한 영양소를 소화, 흡수하는 작용을 하는 몸속 기관입니다. 사람은 입, 식도, 위, 십이지장, 작은창자(소장), 큰창자(대장), 이자, 쓸개, 간 등의 소화기관을 가지고 있습니다. '입 → 식도 → 위 → 십이지장 → 작은창자 → 큰창자' 순서로 음식물이 소화기관을 지나며 잘게 부서지고, 잘게 부서진 영양소는 작은창자에서 흡수되며, 큰창자에서는 주로 물이 흡수됩니다.

3. 원의 둘레와 넓이 중학교 수학

원의 둘레는 원주라고도 부릅니다. 그리고 원의 지름에 대한 원주의 비를 원주율이라고 합니다. 원주율은 기호로 π와 같이 간단히 나타내고 '파이'라고 읽습니다.

원의 넓이는 반지름의 제곱에 원주율을 곱하여 구합니다. 만약 반지름의 길이가 r인 원의 넓이를 S라 하면, $S=\pi r^2$으로 나타낼 수 있습니다.

4. 길이의 단위 환산 초등수학 3-1

단위	센티미터(cm)	미터(m)	인치(in)	피트(ft)	야드(yd)
센티미터(cm)	1	0.01	0.3937	0.0328	0.0109
미터(m)	100	1	39.37	3.2808	1.0936
인치(in)	2.54	0.0254	1	0.0883	0.0278
피트(ft)	30.48	0.3048	12	1	0.3333
야드(yd)	91.438	0.9144	36	3	1

5. 단위넓이와 넓이의 단위 초등수학 5-1

한 변의 길이가 1인 정사각형을 단위정사각형이라 하고, 그 넓이를 단위넓이라고 합니다. 단위길이와 마찬가지로 단위넓이의 크기는 1로 정의합니다.

넓이를 나타내는 단위는 제곱미터(m^2), 아르(a), 헥타르(ha), 평(여섯 자의 제곱), 단보(300평) 등 여러 가지가 있습니다.

① m^2 : 한 변이 1m인 정사각형의 넓이를 $1m^2$라고 합니다.

② a : 한 변이 10m인 정사각형의 넓이를 1a라고 합니다.

③ ha : 한 변이 100m인 정사각형의 넓이를 1ha라고 합니다.

④ km^2 : 한 변이 1km인 정사각형의 넓이를 $1km^2$라고 합니다.

6. 운동에너지 중학교 과학

운동에너지는 움직이는 물체가 갖고 있는 에너지를 말하며, 정지 상태에 비해서 얼마나 더 많은 에너지를 갖고 있는지를 나타냅니다. 운동하는 물체의 질량에 속도의 제곱을 곱하여 계산할 수 있습니다.

7. 암순응 중학교 과학

밝은 곳에서 어두운 곳으로 들어갔을 때, 처음에는 아무것도 보이지 않다가 차차 보이게 되는 현상입니다. 우리 눈은 주변 환경에 따라 빛이 들어오는 정도를 조절하는 기능이 있는데, 갑작스럽게 환경이 바뀌면 조절을 위해 약간의 시간이 필요합니다. 이 때문에 암순응이 일어납니다.

8. 에너지 발전별 장단점 초등과학 6-2

종류	화력발전	수력발전	원자력발전
장점	• 장소 제약이 적습니다. • 빠르게 발전소를 지을 수 있습니다.	• 연료 공급이 필요하지 않습니다. • 물을 이용하기 때문에 친환경적입니다.	• 화력발전에 비해 연료비가 저렴합니다. • 매연이 배출되지 않습니다.
단점	• 연료가 비쌉니다. • 매연이 배출되기 때문에 환경을 오염시킵니다.	• 설치 지역이 한정적입니다. • 댐이 강의 생태계를 파괴합니다.	• 건설 비용이 많이 듭니다. • 발전 과정에서 방사능 폐기물이 생깁니다.

9. 온도와 열 초등과학 5-1

온도는 따듯함과 차가움의 정도를 나타내는 수치를 말합니다. 일반적으로 온도의 단위는 섭씨온도(℃), 화씨온도(℉), 절대온도(K) 등을 사용합니다.

에너지의 한 종류라고 할 수 있는 열은 한곳에 머물러 있지 않고 계속 움직입니다. 뜨거운 곳에서 차가운 곳으로 열이 이동하면서 온도를 변화시킵니다.

10. 지열 에너지 초등과학 5-1

지열 에너지는 지구가 가지고 있는 열에너지입니다. 주로 태양열로부터 땅에 저장된 지하수 및 지하의 열을 이용합니다.

지구 용융이 일어나는 중심부에서 지표 근처로 방출되는 열을 에너지원으로 이용합니다. 보통 지표면 근처의 지중 온도는 10~20℃ 정도로 열펌프를 통해 에너지로 이용되고, 일부 지중 온도가 80℃ 정도로 높은 지역의 열은 직접 냉난방에 이용됩니다. 지표에서 지구 중심부로 갈수록 온도는 25~30℃/km 정도로 증가하며, 주로 100℃ 이상의 고온 지대는 판의 경계에 나타나므로 대부분의 지열발전소가 위치해 있습니다.

11. 난방장치별 장단점 초등과학 5-1

종류	온돌	벽난로
장점	• 열기가 비교적 장시간 지속됩니다.	• 주변 공기를 금방 데워 줍니다.
단점	• 구들장이 깨지면 연소 가스가 새어나와 일산화탄소 중독을 일으킬 수 있습니다.	• 연료 소모에 비해 효율이 낮습니다.

12. 공기저항 중학교 과학

공기 속을 운동하는 물체가 공기로부터 받는 저항을 말합니다. 물체와 공기의 상대속도 크기에 따라 작용하는 저항은 점성저항과 관성저항(형상저항) 두 가지로 구분됩니다.

물체가 저속으로 운동하여 공기 흐름의 층이 생기는 범위에서는 공기의 끈적임에 의한 마찰저항이 작용하는데, 그 크기는 공기와 물체의 상대속도의 크기에 비례합니다. 이를 점성저항이라고 합니다.

반면에, 물체가 운동하는 속도가 빨라져 층류가 허물어지기 시작하면 물체의 배후에 소용돌이가 생깁니다. 이때의 저항력은 상대속도의 제곱에 비례하여 커지는데, 이 저항은 점성과는 관계가 없고 물체가 공기에 미치는 힘의 반작용에 의해 공기로부터 받는 힘입니다. 이를 관성저항이라고 합니다.

13. 양력 중학교 과학

양력은 물체가 움직이는 방향에서 수직으로 물체를 들어 올리려는 힘입니다. 비행기나 새의 날개에 작용하여 하늘을 날 수 있게 합니다.

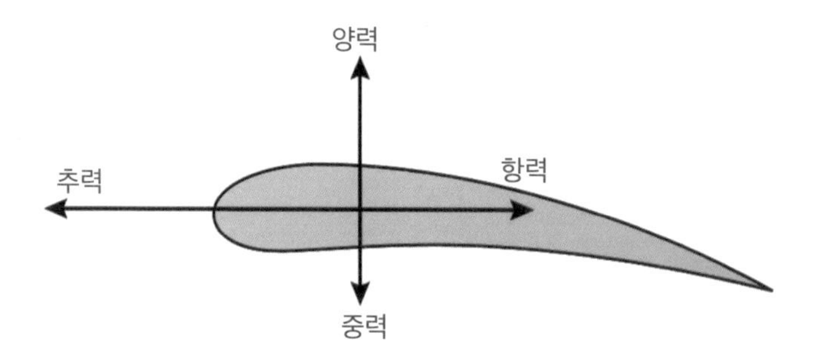

15. 소리와 에너지 중학교 과학

소리도 일종의 에너지 흐름입니다. 다만 소리를 전기에너지로 바꾸기는 어렵습니다. 에너지보존법칙에 따라 전기에너지로 사용하기 위해서는 그만큼의 소리 에너지가 필요하기 때문입니다. 따라서 소리 에너지를 다른 방법으로 변환해서 정보 전달 매체로 사용하고 있습니다. 하나의 소리굽쇠가 울리는 것처럼 공명 현상을 이용한 것입니다. 전기적인 공명 현상을 이용한 것으로 마이크, 라디오, 스피커를 예로 들 수 있습니다.

이야기를 떠올리며 물음에 답하기

1. 개미들이 한 줄로 줄지어 다니는 이유가 무엇인지 설명해 보세요.

2. 동글이가 먹은 빵은 소화기관을 통해 영양소가 소화, 흡수됩니다. 소화기관에 대하여 이야기해 보세요.

3. 개미지옥의 둘레를 잴 때 쓰인 원의 둘레와 넓이를 설명해 보세요.

4. 태양이와 유니, 동글이가 운동장의 넓이를 구할 때 사용했던 단위넓이에 대해 이야기해 보세요.

5. 태양이가 꿈틀이를 따라 땅속 세상에 갔을 때처럼 눈이 어두워졌다가 다시 밝아지는 현상을 설명해 보세요.

6. 꿈틀이는 전기와 같은 에너지가 마법 같다고 말했습니다. 에너지 발전별 장단점을 이야기해 보세요.

7. 온도와 열이 무엇인지 아는 대로 말해 보세요.

8. 태양열로부터 땅에 저장된 에너지에 대해 이야기해 보세요.

더 깊게 알아보기

1. 다음은 단위넓이 사이의 관계를 나타내는 그림입니다. 빈칸에 알맞은 수를 써 보세요.

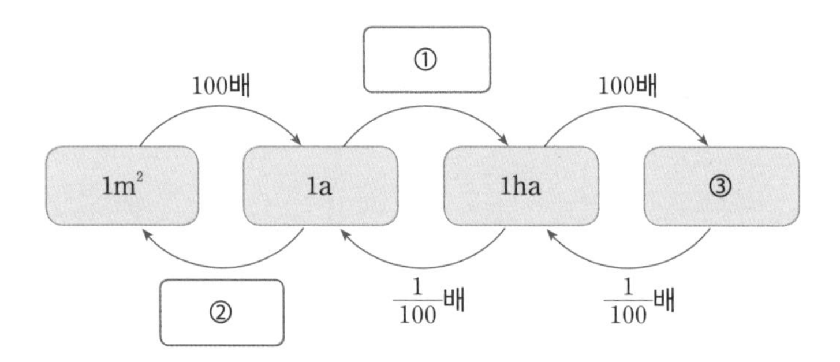

2. 집에서 수학 학원까지는 걸어서 시속 4km의 속력으로 가면 자전거를 타고 시속 12km의 속력으로 가는 것보다 1시간 늦게 도착합니다. 집에서 수학 학원까지의 거리는 얼마일지 생각해 보세요.

3. 무게를 잴 때에는 g, kg, t 등의 단위를 씁니다. 빈칸에 알맞은 수나 단위를 적어 보세요.

① 2kg＝(　　　　)g

② 1t＝1000000(　　　　)

4. 각 a, 각 b, 각 c의 크기가 3 : 7 : 8의 비일 때, 각각의 크기를 구해 보세요.

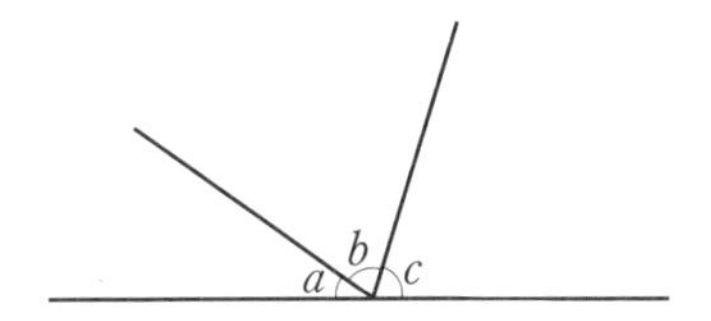

5. 다음 그림은 비행기 날개에 작용하는 힘을 나타낸 것입니다. 빈칸에 알맞은 힘의 종류를 써 보세요.

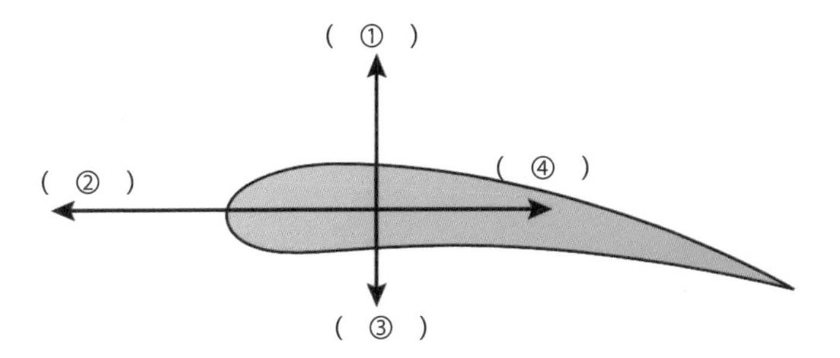

이야기를 떠올리며 물음에 답하기

1.

먹이를 처음 발견한 개미가 페로몬이라는 냄새나는 물질을 뿌리기 때문입니다. 페로몬은 동물 개체 사이에서 신호 전달을 위하여 이용되는 극소량의 화학물질입니다. 호르몬과는 달리 체외로 배출되어 강력한 작용을 하는데, 그 작용에 따라 '생리 변화 페로몬'과 '행동 유기 페로몬'으로 크게 구분됩니다. 곤충 사회에서는 페로몬으로 계급을 분화하거나 생식 능력을 억제하기도 합니다.

2.

동물이 섭취한 영양소를 소화, 흡수하는 작용을 하는 몸속 기관을 소화기관이라고 합니다. 사람은 입, 식도, 위, 십이지장, 작은창자(소장), 큰창자(대장), 이자, 쓸개, 간 등의 소화기관을 가지고 있습니다. '입 → 식도 → 위 → 십이지장 → 작은창자 → 큰창자' 순서로 음식물이 소화기관을 지나며 잘게 부서지고, 잘게 부서진 영양소는 작은창자에서 흡수되며, 큰창자에서는 주로 물이 흡수됩니다.

3.

원의 둘레는 원주라고도 부릅니다. 그리고 원의 지름에 대한 원주의 비를 원주율이라고 합니다. 원주율은 기호로 π와 같이 간단히 나타내고, '파이'라고 읽습니다. 원주는 지름에 원주율을 곱하여 구합니다.

원의 넓이는 반지름의 제곱에 원주율을 곱하여 구합니다. 만약 반지름의 길이가 r인 원의 넓이를 S라 하면, $S=\pi r^2$으로 나타낼 수 있습니다.

4.
한 변의 길이가 1인 정사각형을 단위정사각형이라 하고, 그 넓이를 단위넓이라고 합니다. 단위길이와 마찬가지로 단위넓이의 크기는 1로 정의합니다.

넓이를 나타내는 단위는 제곱미터(m^2), 아르(a), 헥타르(ha), 평(여섯 자의 제곱), 단보(300평) 등 여러 가지가 있습니다.

5.
암순응은 밝은 곳에서 어두운 곳으로 들어갔을 때, 처음에는 아무것도 보이지 않다가 차차 보이게 되는 현상입니다. 우리 눈은 주변 환경에 따라 빛이 들어오는 정도를 조절하는 기능이 있는데, 갑작스럽게 환경이 바뀌면 조절을 위해 약간의 시간이 필요하기 때문에 일어납니다.

6.

종류	화력발전	수력발전	원자력발전
장점	• 장소 제약이 적습니다. • 빠르게 발전소를 지을 수 있습니다.	• 연료 공급이 필요하지 않습니다. • 물을 이용하기 때문에 친환경적입니다.	• 화력발전에 비해 연료비가 저렴합니다. • 매연이 배출되지 않습니다.
단점	• 연료가 비쌉니다. • 매연이 배출되기 때문에 환경을 오염시킵니다.	• 설치 지역이 한정적입니다. • 댐이 강의 생태계를 파괴합니다.	• 건설 비용이 많이 듭니다. • 발전 과정에서 방사능 폐기물이 생깁니다.

7.
온도는 따듯함과 차가움의 정도를 나타내는 수치를 말합니다. 일반적으로 온도의 단위는 섭씨온도(℃), 화씨온도(℉), 절대온도(K) 등을 사용합니다.

에너지의 한 종류라고 할 수 있는 열은 한 곳에 머물러 있지 않고 계속 움직입니다. 뜨거운 곳에서 차가운 곳으로 열이 이동하면서 온도를 변화시킵니다.

8.
지열 에너지는 지구가 가지고 있는 열에너지입니다. 주로 태양열로부터 땅에 저장된 지하수 및 지하의 열을 이용합니다.

지구 용융이 일어나는 중심부에서 지표 근처로 방출되는 열을 에너지원으로 이용합니다. 보통 지표면 근처의 지중 온도는 10~20℃ 정도로 열펌프를 통해 에너지로 이용되고, 일부 지중 온도가 80℃ 정도로 높은 지역의 열은 직접 냉난방에 이용됩니다. 지표에서 지구 중심부로 갈수록 지중 온도는 25~30℃/km 정도로 증가하며, 주로 100℃ 이상의 고온 지대는 판의 경계에 나타나므로 대부분의 지열발전소가 위치해 있습니다.

더 깊게 알아보기

1. ① **100배** ② $\frac{1}{100}$**배** ③ **1km²**

① 1a는 한 변이 10m인 정사각형, 1ha는 한 변이 100m인 정사각형의 넓이를 나타내므로 1ha는 1a의 100배입니다.

② $1m^2$는 한 변이 1m인 정사각형, 1a는 한 변이 10m인 정사각형의 넓이를 나타내므로 $1m^2$는 1a의 $\frac{1}{100}$배입니다.

③ 1ha는 한 변이 100m인 정사각형의 넓이를 나타냅니다. 1ha의 100배인 단위넓이는 $1km^2$입니다.

2. **6km**

시간$=\frac{\text{(거리)}}{\text{(속력)}}$를 이용하여 문제를 풀 수 있습니다. 집에서 수학 학원까지의 거리를 x라고 하면, 걸어간 시간은 $\frac{x}{4}$, 자전거를 타고 간 시간은 $\frac{x}{12}$로 나타낼 수 있습니다. 따라서 $\frac{x}{4}-\frac{x}{12}=1$이라는 방정식을 세울 수 있고, 분모를 통분하면 $\frac{3x}{12}-\frac{x}{12}=1$, 양변에 12를 곱하면 $3x-x=12$로 간단히 할 수 있습니다. 따라서 집에서 수학 학원까지의 거리 $x=6$km입니다.

3. ① **2000** ② **g**

① 1kg은 1000g과 같습니다. 따라서 2kg은 2000g으로 나타낼 수 있습니다.

② 1t은 1000kg과 같고, 1kg은 1000g과 같습니다. 따라서 1t은 1g의 백만 배입니다.

4. $\boldsymbol{a=30°, b=70°, c=80°}$

비와 분수의 관계를 이용하면 각 a, b, c의 크기를 구할 수 있습니다. a와 b와 c의 크기를 합한 각의 크기는 180°이므로 각 a, b, c는 다음과 같습니다.

$$\mathrm{a}=180° \times \frac{3}{3+7+8}=30°$$

$$b=180° \times \frac{7}{3+7+8}=70°$$

$$c=180° \times \frac{8}{3+7+8}=80°$$

5. ① **양력** ② **추력** ③ **중력** ④ **항력**

매쓰 왕자와 지구의 비밀

김주창 글 • 방상호 그림

분야 어린이 / 초등 학습 / 수학 / 과학

키워드 #STEAM #비례 #수열 #분수 #자연현상

내용 소개

어느 날 갑자기 시간이 멈추고, 환경을 파괴하던 어른들이 사라져 지구에는 아이들만 남는다. 승원이와 리원이는 부모님을 찾기 위해 예전에 도움을 줬던 기하 왕국의 프랙 왕자를 부른다. 하지만 그는 이미 죽었고 손자 매쓰 왕자가 왕국 수석 과학자인 지오 박사와 함께 나타난다. 예언서에 적힌 내용에 따라 모험을 떠난 그들은 날씨를 통해 확률과 비율을 깨닫고, 노을을 바라보며 빛의 산란과 굴절을 배운다. 또 지도에서는 비례를, 식물로는 피보나치수열을 익히며, 그림자로 건축물의 높이를 구하기도 한다. 남매는 매쓰 왕자와 함께 시간을 다루는 유물을 찾고자 예언서에 따라 차근차근 문제를 해결해 가는데……. 그들은 시간을 되돌리고 부모님을 찾을 수 있을까?

교과 연계

	1학년	2학년	3학년	4학년	5학년	6학년	중학교
수학			★			★	★
과학					★	★	★

단원 안내

[초등수학 3-2] 4. 분수

[초등수학 6-1] 4. 비와 비율

[초등과학 5-2] 3. 날씨와 우리 생활

[초등과학 6-1] 4. 식물의 구조와 기능

개념 쏙쏙! 읽으면서 익히자

1. 염생식물 초등과학 6-1

염생식물은 바닷가의 모래땅이나 갯벌 주변의 염분이 많은 땅에서 자랍니다. 우리나라의 서해남해 갯벌이나 염전 주변에서 볼 수 있습니다. 염생식물은 흡수된 염분을 배출하는 한편, 세포에 많은 물을 저장하는 저수조직의 수분으로 세포의 높은 염분 농도를 낮춤으로써 삼투압을 조절합니다.

2. 확률의 성질 중학교 수학

① 어떤 사건이 일어날 확률을 p라고 하면, $0 \leq p \leq 1$입니다.

② 절대로 일어날 수 없는 사건의 확률은 0입니다.

③ 반드시 일어나는 사건의 확률은 1입니다.

3. 백분율 초등수학 6-1

전체 수량을 100으로 하여 비교하는 양의 비율을 나타낸 것을 백분율이라고 합니다. 단위는 퍼센트(%)를 사용합니다. 백분율은 분모를 100으로 하는 분수로도 나타낼 수 있습니다.

4. 수치예보 모델 초등과학 5-2

미래의 날씨를 예측하기 위하여 만들어진 컴퓨터 소프트웨어 프로그램의 일종으로, 기상관측 데이터를 활용해 대기의 움직임과 날씨를 시간대별로 예측해냅니다. 수치예보 모델에서는 대기 중에서의 물리 과정인 태양열의 복사, 강수, 대기와 지표면 사이의 열과 운동량의 교환 등을 변수로 사용합니다.

5. 분수의 구분 초등수학 3-2

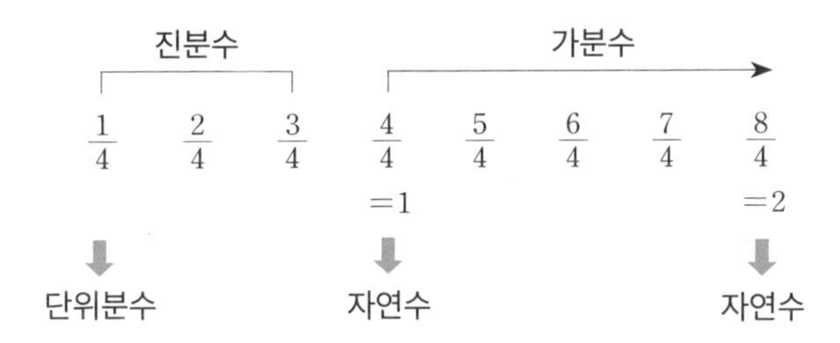

6. GPS(Global Positioning System) 중학교 과학

GPS는 위성에서 보내는 신호를 수신해 사용자의 현재 위치를 계산하는 위성 항법 시스템입니다. 항공기, 선박, 자동차 등의 내비게이션 장치에 주로 쓰이고 있으며, 최근에는 스마트폰, 태블릿PC 등에서도 많이 활용되는 추세입니다.

7. 축척 중학교 수학

축척은 지표에서의 실제 거리를 지도에 줄여 나타낸 비율입니다. 축척을 알면 지도상 두 지점 사이의 거리를 통해 실제 거리를 알 수 있습니다. 예를 들어, 축척 1 : 25000 지도에서의 1cm는 실제 거리 25000cm(250m)를 나타냅니다.

8. 비유클리드 기하학 중학교 수학

그리스의 학자 유클리드는 기하학을 집대성했습니다. 유클리드 기하학에서는 직선 밖의 한 점을 지나 그 직선과 만나지 않는 직선은 하나밖에 없다고 가정하고 있습니다. 즉, 평행선은 아무리 연장해도 서로 만나지 않는다는 것입니다.

19세기에 들어 야노시 보여이, 니콜라이 로바첼스키는 한 점을 지나는 직선은 무한히 있다고 가정하여 새로운 기하학을 세웠습니다. 즉, 평면상의 두 직선은 모두 만나며, 직선 밖의 한 점을 지나고 그 직선과 만나지 않는 직선을 그을 수는 없다고 가정하여 유클리드의 이론을 부정하는 다른 기하학을 만들었습니다. 이 기하학을 비(非)유클리드 기하학이라고 합니다.

9. 매질 중학교 과학

파동을 전달해 주는 매개체를 매질이라고 합니다. 파동은 매질의 흔들림을 통해 전파됩니다. 매질의 탄성에 의해 진동이 일어나고, 그 진동에너지가 매질을 타고 전파되어 나갑니다.

10. 전반사 중학교 과학

굴절률이 큰 물질로부터 굴절률이 작은 물질의 경계면으로 빛이 진행할 때, 입사각이 어떤 임계각보다 크면 경계면을 투과하지 못하고 모두 반사하는 현상을 말합니다. 느린 매질에서 빠른 매질로 빛이 통과할 때 생깁니다.

11. 음파 중학교 과학

음파는 매질을 통해 매질 내의 압력 혹은 스트레스가 진동하며 전파됩니다. 기체나 액체와 같은 유체에서는 압력파로 나타나서 종파의 형태를 띠며, 고체에서는 횡파로도 함께 나타납니다.

물리적으로는 소리와 같은 의미이나, 소리는 주로 들리는 형태의 음파를 지칭하는 데 반해 음파는 거의 전적으로 매질 속에서 진동하며 전파되는 물리적인 파동을 말합니다.

12. 엘니뇨와 라니냐 초등과학 6-2

엘니뇨는 동풍이 약해지면서 따듯한 물이 동태평양 쪽으로 흘러오는 현상입니다. 이로 인해 동남아시아에서는 비를 보기가 힘들어지고, 남아메리카에는 평소와 달리 많은 비가 내립니다.

라니냐는 동풍이 평소보다 강해지면서 깊은 곳에 있던 차가운 바닷물이 수면 위로 올라오는 현상입니다. 이로 인해 동남아시아에는 심한 장마가, 북아메리카에는 심한 추위가 옵니다.

<엘니뇨> <라니냐>

13. 마방진 중학교 수학

가로 3칸, 세로 3칸으로 이루어진 정사각형에 1부터 9까지의 수를 겹치지 않게 채워 넣었을 때, 가로, 세로, 대각선에 있는 수의 합이 모두 같은 값이 되도록 하는 것을 마방진이라고 합니다.

14. 침식작용과 퇴적작용 중학교 과학

풍화의 산물인 암석 부스러기나 토양이 빗물, 하천, 바람 및 빙하에 의해 다른 장소로 이동되는 일반적인 과정을 말하며 풍화, 용해, 마모, 운반 작용이 포함됩니다. 침식은 어떠한 환경에서나 나타납니다. 유체, 흔히 물에 의해 또는 물과 함께 퇴적물이 운반되어 퇴적면 위에 쌓이면 입체적인 퇴적 구조가 생성됩니다.

이야기를 떠올리며 물음에 답하기

1. 예언서의 첫 번째 항목을 보면서 승원이와 리원이가 이야기한 염생식물에 대해 이야기해 보세요.

2. 아이들은 하늘에 낀 먹구름을 보며 비가 올 확률에 대해 이야기했습니다. 확률의 성질을 말해 보세요.

3. 일기예보에서 비 올 확률이 90%라고 한 것은 어떤 의미인지 떠올리면서 백분율을 설명해 보세요.

4. 고대 바빌로니아인들은 구름의 움직임을 보고 날씨를 예측했습니다. 오늘날 날씨를 예측할 때 이용하는 수치예보 모델에 대해 이야기해 보세요.

5. 지도의 한 지점에서 다른 지점까지의 실제 길이를 어떻게 알 수 있을지 생각해 보세요.

6. 삼각형의 내각의 합이 180°가 넘는 경우를 설명하면서 지오 박사가 이야기한 비유클리드 기하학에 대해 아는 대로 말해 보세요.

7. 어떤 파동이나 힘을 한 곳에서 다른 곳으로 옮겨 주는 물질에 대해 설명해 보세요.

8. 리원이가 연필과 비커를 이용해서 설명했던 전반사를 이야기해 보세요.

더 깊게 알아보기

1. 남학생 2명과 여학생 3명을 한 줄로 세울 경우, 남학생끼리 이웃하여 설 확률을 구해 보세요.

2. 다음 분수의 계산을 해 보세요.

$$\left(-\frac{2}{3}\right)-\left(+\frac{4}{3}\right)$$

3. 다음 그림을 한붓그리기 할 수 있는지 생각해 보세요.

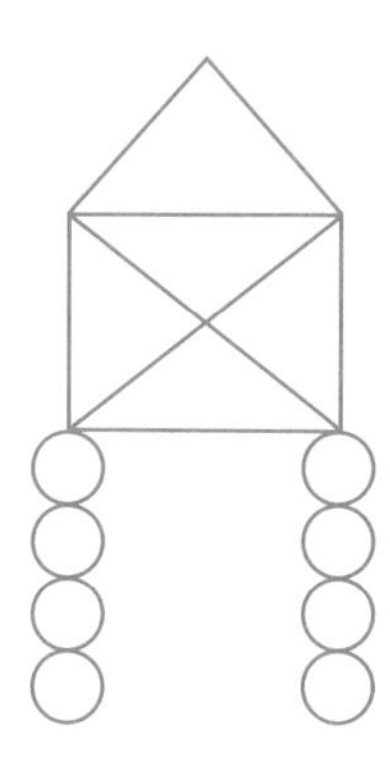

4. 땅이 흔들리는 현상을 떠올리면서 진도에 대해서 이야기해 보세요.

이야기를 떠올리며 물음에 답하기

1.

염생식물은 바닷가의 모래땅이나 갯벌 주변의 염분이 많은 땅에서 자랍니다. 우리나라의 서해·남해 갯벌이나 염전 주변에서 볼 수 있습니다. 염생식물은 흡수된 염분을 배출하는 한편, 세포에 많은 물을 저장하는 저수조직의 수분으로 세포의 높은 염분 농도를 낮춤으로써 삼투압을 조절합니다.

2. **확률의 성질**

① 어떤 사건이 일어날 확률을 p라고 하면, $0 \leq p \leq 1$입니다.

② 절대로 일어날 수 없는 사건의 확률은 0입니다.

③ 반드시 일어나는 사건의 확률은 1입니다.

3.

일기예보에서 비 올 확률이 90%라는 것은 날씨를 관측해서 현재 날씨와 같을 때 비가 온 경우가 100일 중에 90일이라는 것을 의미합니다. 이처럼 전체 수량을 100으로 하여 비교하는 양의 비율을 백분율이라고 합니다. 단위는 퍼센트(%)를 사용합니다. 백분율은 분모를 100으로 하는 분수로도 나타낼 수 있습니다.

4.

수치예보 모델은 미래의 날씨를 예측하기 위하여 만들어진 컴퓨터 소프트웨어 프로그램의 일종으로, 기상관측 데이터를 활용해 대기의 움직임과 날씨를 시간대별로 예측해 냅니다. 대기 중에서의 물리 과정인 태양열의 복사, 강수, 대기와 지표면 사이의 열과 운동량의 교환 등을 변수로 사용합니다.

5.

지도는 축적을 이용하여 지구의 표면을 실제보다 축소해서 나타낸 것입니다. 축척은 지표에서의 실제 거리를 지도에 줄여 나타낸 비율입니다. 그래서 축척을 알면 지도상 두 지점 사이의 거리를 통해 실제 거리를 알 수 있습니다. 예를 들어, 축척 1 : 25000 지도에서의 1cm는 실제 거리 25000cm(250m)를 나타냅니다.

6.

그리스의 학자 유클리드는 기하학을 집대성했습니다. 유클리드 기하학에서는 직선 밖의 한 점을 지나 그 직선과 만나지 않는 직선은 하나밖에 없다고 가정하고 있습니다. 즉, 평행선은 아무리 연장해도 서로 만나지 않는다는 것입니다.

19세기에 들어 야노시 보여이, 니콜라이 로바첸스키는 한 점을 지나는 직선은 무한히 있다고 가정하여 새로운 기하학을 세웠습니다. 즉, 평면상의 두 직선은 모두 만나며, 직선 밖의 한 점을 지나고 그 직선과 만나지 않는 직선을 그을 수는 없다고 가정하여 유클리드의 이론을 부정하는 다른 기하학을 만든 것입니다. 이 기하학을 비(非)유클리드 기하학이라고 합니다.

7.

파동을 전달해 주는 매개체를 매질이라고 합니다. 파동은 매질의 흔들림을 통해 전파됩니다. 매질의 탄성에 의해 진동이 일어나고, 그 진동에너지가 매질을 타고 전파되어 나갑니다.

8.

물이 담긴 비커에 연필을 넣으면, 빛의 굴절에 의해 연필이 휘어져 보입니다. 이처럼 굴절률이 큰 물질로부터 굴절률이 작은 물질의 경계면으로 빛이 진행할 때, 입사각이 어떤 임계각보다 크면 경계면을 투과하지 못하고 모두 반사하는 현상을 전반사라고 합니다. 느린 매질에서 빠른 매질로 빛이 통과할 때 생깁니다.

더 깊게 알아보기

1. $\frac{2}{5}$

남학생 2명, 여학생 3명이 한 줄로 설 수 있는 전체 경우의 수는 $5\times4\times3\times2\times1$가지입니다. 그리고 남학생끼리 서로 이웃해서 서는 경우의 수는 남학생1과 남학생2를 한 묶음으로 생각하여 구할 수 있습니다. 남학생, 여학생1, 여학생2, 여학생3이 한 줄로 설 수 있는 경우의 수는 $4\times3\times2\times1$이고, 남학생 2명이 서로 자리를 바꿔 설 수 있는 경우의 수는 2가지이므로 남학생끼리 서로 이웃해서 서는 경우의 수는 $(4\times3\times2\times1)\times2$입니다.

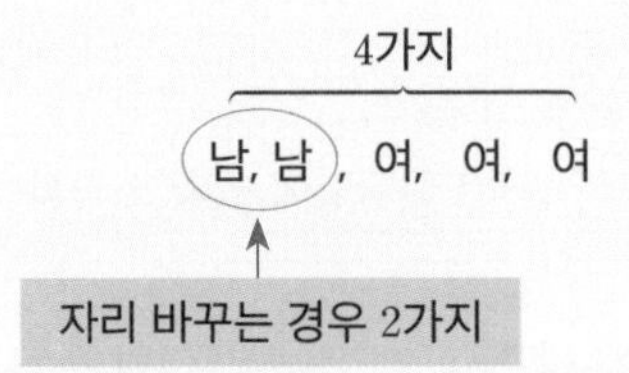

따라서 남학생 2명, 여학생 3명을 한 줄로 세울 때 남학생끼리 이웃하여 설 확률은 $\frac{(4\times3\times2\times1)\times2}{5\times4\times3\times2\times1}=\frac{2}{5}$입니다.

2. -2

$\left(-\frac{2}{3}\right)-\left(+\frac{4}{3}\right)=\left(-\frac{2}{3}\right)+\left(-\frac{4}{3}\right)=-\frac{6}{3}=-2$

3.

한붓그리기는 홀수점이 없거나 2개인 경우에만 가능합니다. 그림은 홀수점이 2개이므로 홀수점에서 출발하면 한붓그리기를 할 수 있습니다.

4.

진도는 지진이 일어났을 때 사람의 느낌이나 주변의 물체 또는 구조물이 흔들리는 정도의 상대적인 기준입니다. 이 때문에 진도는 나라마다 조금씩 다르게 사용하고 있는데, 우리나라는 12단계로 나뉜 수정 메르칼리 진도 계급을 사용하고 있습니다.

MEMO

MEMO

MEMO

MEMO